CARRÉ NOIR

Collection Série Noire
créée par Marcel Duhamel

*Nouveautés du mois*

1942 — C'EST DU DÉLIRE...
(FREDRIC NEUMAN)

1943 — AUTOPSIE D'UN MENTEUR
(JONATHAN VALIN)

1944 — LA NUIT CANNIBALE
(MICHAEL JAHN)

1945 — MEURTRES POUR MÉMOIRE
(DIDIER DAENINCKX)

JAMES HADLEY CHASE

# Au son
# des fifrelins

TRADUIT DE L'ANGLAIS
PAR JACQUES PAPY

GALLIMARD

James Hadley Chase a été photographié par
Max Feissel, Vevey, Suisse.


*Titre original :*

WHAT'S BETTER THAN MONEY!

## PREMIERE PARTIE

## CHAPITRE PREMIER

I

Il y avait à peu près quatre mois que je jouais du piano dans le bistrot de Rusty quand je fis la connaissance de Rima Marshall.

Elle entra dans le troquet par une nuit d'orage, tandis que la pluie cognait sur le toit de zinc et que le tonnerre grondait au loin.

Au comptoir il n'y avait que deux clients, deux pochards. Derrière le comptoir Rusty astiquait des verres pour passer le temps. En face, dans un box, Sam, le garçon nègre, lisait un journal de courses. Moi, j'étais au piano.

Je jouais un nocturne de Chopin. Je tournais le dos à la porte. Je ne la vis ni ne l'entendis entrer.

Plus tard, Rusty m'a dit qu'elle était arrivée vers neuf heures moins vingt, sous la pluie battante. Trempée comme une soupe, elle était allée s'asseoir dans un des box, à ma droite et derrière moi.

Rusty n'aimait pas qu'il y ait des femmes seules dans son bistrot. D'habitude, il les flanquait à la porte; mais, ce soir-là, vu que la salle était presque vide et qu'il pleuvait comme vache qui pisse, il lui ficha la paix.

Elle commanda un Cinzano; ensuite, après avoir allumé une cigarette, elle s'accouda sur la table et se mit à contempler les deux pochards d'un air morne.

Dix minutes plus tard, ça commença à faire des étincelles.

Tout d'un coup, la porte s'ouvrit violemment, et un homme entra. Il fit quatre pas en canard dans le bistrot, comme s'il avait marché sur le pont d'un bateau secoué par le roulis, puis s'arrêta net.

C'est alors que Rima se mit à hurler : c'est alors que je me rendis compte de sa présence et de celle du type qui venait d'entrer.

En l'entendant crier, je me retournai d'un mouvement brusque pour la regarder.

Je n'oubilerai jamais cette première impression que j'eus d'elle. Elle avait des cheveux couleur d'argent brillant, et des yeux immenses bleu cobalt. Elle portait un mince chandail rouge qui faisait ressortir sa poitrine, et un pantalon de toile noire collant. Elle paraissait sale et débraillée, comme quelqu'un qui vit à la dure. Sur une chaise à côté d'elle se trouvait un imperméable en matière plastique, à la manche déchirée, qui semblait n'en avoir plus pour longtemps.

Si elle avait été calme, elle aurait été jolie, comme le sont tant de filles du même âge qui encombrent les trottoirs de Hollywood, à la recherche d'un bout de rôle dans un film; mais, à ce moment précis, elle était loin d'être calme.

Dans son visage enlaidi par la terreur, sa bouche grande ouverte, qui modulait un cri incessant, ressemblait à un trou hideux. Elle s'appuyait tout contre le mur, comme un animal essayant de rentrer dans son terrier; et j'avais les nerfs à vif à entendre le bruit de ses ongles griffant le panneau de bois, dans sa vaine tentative de fuite éperdue.

Le type qui venait d'entrer semblait sortir tout droit d'un cauchemar. Petit de taille, menu d'ossature, il devait avoir dans les vingt-quatre ans. Son visage maigre au menton pointu était aussi blanc que du suif de mouton. La pluie avait collé à son crâne ses longs cheveux noirs qui pendaient en mèches flasques sur ses deux joues. Son aspect cauchemaresque venait de ses yeux dont les pupilles énormes remplissaient presque la totalité de l'iris. L'espace d'un instant, je le crus aveugle, mais il n'en était rien. Il regardait la fille hurlante avec une telle expression qu'il me flanqua une frousse formidable.

Il portait un complet bleu marine râpé, une chemise sale et une cravate noire en lacet de soulier. Ses vêtements étaient trempés, et l'eau qui dégouttait du bas de son pantalon formait deux petites mares sur le plancher.

Pendant trois ou quatre secondes, il resta immobile à regarder Rima; puis, de sa bouche aux lèvres minces, à l'expression méchante, sortit un sifflement soutenu.

Rusty, les deux pochards et moi, nous fixions sur lui des yeux écarquillés. Sa main droite fouilla dans sa poche revolver et en tira un couteau à cran d'arrêt d'un aspect peu rassurant, dont la longue lame pointue étincela sous la lumière. Après quoi, brandissant son arme vers la fille hurlante, il s'avança en se déplaçant comme une araignée, très vite, un peu de biais, et se mit à siffler plus fort.

Rusty se mit à brailler :

— Hé! dis donc! Lâche ça!

Mais il prit bien soin de rester à sa place derrière le comptoir. Les deux pochards ne bougèrent pas. Assis sur leur tabouret, ils contemplaient le tableau, la bouche grande ouverte. Sam, le visage gris de frousse, disparut sous la table.

Il ne restait plus que moi en piste.

Il n'y a rien de plus dangereux que de se bagarrer avec un camé armé d'un couteau; mais je ne pouvais tout de même pas rester à le regarder piquer la fille; or, je savais que c'était ce qu'il allait faire.

J'écartai ma chaise d'un coup de pied et me dirigeai vers lui.

Rima avait cessé de crier. Elle avait poussé la table de côté, de façon à barrer l'entrée du compartiment et s'y accrochait des deux mains en fixant, les yeux aveuglés par la terreur, l'homme qui lui fonçait dessus.

Tout ça prit à peine cinq secondes.

J'atteignis le type au moment où il atterrissait dans le box.

Il semblait ne pas s'apercevoir du tout de ma présence. La façon dont il concentrait son attention sur la fille avait quelque chose de terrifiant.

La lame du couteau étincela au moment précis où je cognais.

Je lançai mon poing un peu au hasard, sous l'effet de la panique, mais il y avait un bon poids derrière. Le coup l'atteignit à la joue et le fit chanceler, mais j'étais arrivé une seconde trop tard.

Le couteau entailla le bras de la fille. Je vis une tache sombre se former sur la manche de son chandail. Ensuite elle s'effondra en arrière contre le mur, glissa et disparut sous la table.

Je vis tout ça du coin de l'œil, sans cesser d'observer le type. Il recula en chancelant jusqu'à ce qu'il ait retrouvé son équilibre, puis il se précipita en avant, sans me regarder, ses yeux de hibou fixés sur le box.

Au moment où il arrivait à la table, je me mis en bonne position et lui filai une sérieuse correction. Mon poing s'abattit de biais sur sa mâchoire. La force du coup lui fit perdre l'équilibre et il s'étala tout de son long sur le plancher.

Il resta étendu sur le dos, complètement assommé, mais sans lâcher le couteau taché de sang. Je me ruai en avant et lui marchai sur le poignet. Je dus m'y prendre à deux fois pour lui faire lâcher prise. Je ramassai le couteau et le jetai à l'autre bout de la salle.

Sifflant comme un serpent, il se leva d'un bond et se jeta sur moi, avec l'intention bien arrêtée de me régler mon compte.

Il me tomba dessus avant que j'aie eu le temps de l'écarter d'un coup de poing. Ses ongles me raclèrent la figure comme un râteau et j'entendis claquer ses dents tandis qu'il essayait de me mordre à la gorge.

Je me débrouillai pour me débarrasser de lui, puis, comme il revenait sur moi, je lui collai sur la pointe du menton un vache direct qui me déchira les nerfs du bras et faillit lui arracher la tête.

Il alla valdinguer à l'autre bout de la salle, les bras écartés, et atterrit contre le mur après avoir renversé une table et brisé pas mal de verres en mille morceaux.

Il resta étendu sans bouger, le menton en l'air, la respiration haletante et rauque.

Tandis que je tirai la table hors du box, j'entendis Rusty qui gueulait en demandant la police au téléphone.

Rima saignait. Elle était affalée comme un tas de chiffes sur le plancher, à côté d'une petite mare de sang, le visage d'un blanc de craie, ses yeux immenses fixés sur moi.

Je devais avoir une drôle de gueule. Les ongles du camé avaient tracé quatre sillons sur ma joue, et je saignais presque autant qu'elle.

— Vous êtes sérieusement touchée? lui demandai-je en m'accroupissant à côté d'elle.

Elle fit un signe de tête négatif.

— Non, ça va.

Sa voix était étonnamment calme, et son visage n'était plus enlaidi par son expression de terreur. Elle regardait par-dessus moi le camé étendu contre le mur, complètement dans les pommes.

— Ne vous en faites pas pour lui, dis-je. Il en a pour quelques heures à rester tranquille. Est-ce que vous pouvez tenir sur vos jambes?

— Vous saignez...

— Et ne vous en faites pas non plus pour moi.

Je lui tendis la main. Elle y mit la sienne qui était glacée. Je l'aidai à se lever et elle s'appuya contre moi.

A ce moment, la porte du bistrot fut ouverte d'un coup de pied, et deux flics firent irruption dans la salle.

**11**

En me voyant en train de saigner jusque sur le plancher, avec Rima appuyée contre moi, la manche de son chandail toute trempée de sang, l'un d'eux sortit sa matraque et se dirigea vers moi.

— Hé! dites donc, c'est lui, le type que vous cherchez! m'écriai-je.

Le flic avait bien l'air de vouloir me coller un coup de matraque sur le crâne. Il s'arrêta, regarda par-dessus son épaule le camé étendu sur le sol, puis posa de nouveau les yeux sur moi.

— Ça va, ça va, dit l'autre flic. T'emballe pas, Tom. Tirons d'abord les choses au clair, tu veux bien?

Brusquement, Rima poussa un gémissement sourd et s'évanouit. J'eus à peine le temps de la rattraper dans mes bras avant de la laisser glisser sur le plancher.

Je m'agenouillai à côté d'elle et lui soutins la tête. Moi-même je me sentais plutôt mal.

— Vous ne pourriez pas faire quelque chose, non? hurlai-je aux flics. Elle saigne, bon Dieu!

Le flic tranquille s'amena, sortit un canif et coupa la manche du chandail de Rima. Il examina la longue et profonde blessure, puis, après avoir tiré de sa poche un paquet de pansements, il lui banda le bras en moins d'une minute et arrêta l'hémorragie.

Pendant ce temps, Rusty avait expliqué à l'autre flic de quoi il retournait. Le flic s'approcha du camé et le remua du bout du pied.

— Faites gaffe! lui dis-je, sans lâcher Rima. C'est un fumeur de marijuana, et il est bourré au maximum.

Le flic ricana.

— Ouais? Tu crois que je ne sais pas comment m'y prendre avec un camé?

Le type revint à la vie. Il se dressa d'un bond, saisit une carafe d'eau sur le comptoir, et, avant que le flic ait pu esquiver le coup, il la lui abattit sur le crâne. La carafe éclata comme une bombe, le flic tomba à genoux.

Le camé se retourna. Ses yeux de hibou se posèrent

sur Rima qui commençait à sortir de son évanouissement. Tenant le goulot cassé de la carafe comme une lance, il fonça droit sur elle.

Je soutenais Rima, agenouillée sur le plancher, et, dans cette position, j'étais complètement sans défense. Sans le flic tranquille, nous aurions été massacrés tous les deux.

Il laissa le camé passer près de lui, puis il lui abattit sa matraque sur la nuque.

Le type tomba le visage en avant, roula loin de nous et lâcha le goulot de la carafe.

Le flic se pencha sur lui et lui passa les menottes. L'autre flic, des jurons plein la bouche, s'appuya faiblement contre le comptoir, tenant sa tête à deux mains.

Le flic tranquille dit à Rusty de demander une ambulance au commissariat.

J'aidai Rima à se relever, puis je la fis asseoir sur une chaise, à bonne distance de l'endroit où gisait le camé. Elle frissonnait, et je voyais qu'elle subissait le contrecoup du choc qu'elle avait reçu. Je restai près d'elle, la tenant serrée contre moi, tandis que, de ma main libre, j'appliquais mon mouchoir sur ma figure.

Cinq minutes plus tard, l'ambulance arriva avec une voiture de police. Deux types en blouse blanche entrèrent d'un air affairé. Ils ficelèrent le camé sur un brancard et l'emportèrent, puis l'un d'eux revint et me pansa le visage.

Pendant ce temps, un gros type rougeaud, en bourgeois, qui était arrivé avec l'ambulance et s'était présenté sous le nom de sergent Hammond, bavardait avec Rusty. Ensuite, il vint trouver Rima.

Elle était affalée mollement sur sa chaise, tenant son bras dans sa main, les yeux fixés sur le plancher.

— Allons-y, ma poupée, dit Hammond. Comment tu t'appelles?

Je tendis l'oreille, car je voulais savoir qui c'était. Elle répondit qu'elle se nommait Rima Marshall.

— Adresse?

— Hôtel Simmonds. (C'était une taule de cinquième ordre, au bord de l'eau.)

— Profession?

Elle leva les yeux vers lui, puis détourna son regard et dit d'un air maussade :

— Je fais de la figuration aux studios Pacific.

— Ce camé, qui c'est?

— Il se fait appeler Wilbur. Je ne connais pas son nom de famille.

— Pourquoi a-t-il essayé de te piquer?

Elle hésita, l'espace d'un instant.

— On a été en ménage ensemble. Je l'ai plaqué.

— Pourquoi ça?

Elle le regarda avec de grands yeux.

— Vous l'avez vu, non? Vous ne l'auriez pas plaqué si vous aviez été à ma place?

— Possible.

Hammond fronça les sourcils et repoussa son chapeau en arrière.

— Ça va comme ça. Faudra te présenter au tribunal demain.

Elle se leva péniblement.

— C'est tout?

— Ouais.

Hammond se tourna vers un des flics debout près de la porte :

— Conduis-la à son hôtel, Jack.

— Vous feriez bien de vous tuyauter sur son compte auprès de la police de New York. Elle le recherche.

Hammond la regarda en plissant les paupières :

— Pourquoi?

— Je ne sais pas; mais je sais que la police de New York le recherche.

— Comment le sais-tu?

— Il me l'a dit.

Hammond hésita, haussa les épaules et fit un geste du bras vers le flic :

— Conduis-la à son hôtel.

Rima sortit sous la pluie, escortée par le flic. Je la regardai partir. Je fus un peu surpris qu'elle s'en aille sans m'accorder un seul coup d'œil. Après tout, je lui avais sauvé la vie, non?

Hammond me fit signe de prendre un siège.

— Asseyez-vous, dit-il. Comment vous appelez-vous?

— Jeff Gordon.

Ça n'était pas mon vrai nom, mais celui dont je me servais depuis mon arrivée à Hollywood.

— Adresse?

Je la lui donnai. Je logeais dans un meublé derrière le bistrot de Rusty.

— Racontez-moi votre version de la bagarre.

Je m'exécutai.

— Croyez-vous que ce type y allait pour de bon?

— Si vous voulez dire par là: est-ce qu'il avait l'intention de la tuer? je crois que oui.

Il gonfla les joues.

— Bon, ça va. Nous aurons besoin de vous au tribunal, demain matin à onze heures précises.

Il me regarda fixement:

— Vous ferez bien de vous soigner la figure. Avez-vous déjà vu cette fille ici?

— Non.

— Je n'arrive pas à piger comment une belle môme comme ça a pu avoir idée de se coller avec un salaud pareil. Ah! les filles!... ajouta-t-il en faisant la grimace. Heureusement que j'ai un fils.

Il adressa un signe de tête au flic qui restait, et tous deux sortirent sous la pluie.

II

Tout ce que je vous raconte là arriva un an après la guerre contre Hitler. A l'heure actuelle, Pearl Harbour me semble très loin dans le passé; mais, en ce temps-là, j'avais vingt et un ans, et je travaillais dur à l'université pour obtenir mon diplôme d'ingénieur conseil. J'étais à deux doigts de le dégotter lorsque ça commença à chauffer sérieusement sur le plan militaire, et je fus incapable de résister à l'appel aux armes. Mon père faillit avoir une attaque quand je lui annonçai que j'allais m'engager. Il essaya de me convaincre d'obtenir mon diplôme avant de revêtir l'uniforme, mais je ne pus supporter l'idée de passer encore six mois à l'université pendant que d'autres se bagarraient.

Quatre mois plus tard, âgé de vingt-deux ans, j'étais un des premiers à débarquer sur les plages d'Okinawa. Au moment où je m'élançais vers les palmiers au feuillage ondulant qui dissimulaient les canons japonais, je reçus un shrapnell brûlant en pleine figure, et la guerre fut finie pour moi.

Je passai les six mois suivants à l'hôpital, où les spécialistes de chirurgie plastique me refirent une beauté.

Ils réussirent un assez bon boulot, mais je gardai la paupière droite légèrement fermée, et une cicatrice semblable à un fil d'argent sur ma mâchoire droite. Les toubibs me dirent qu'ils pourraient m'arranger ça si je voulais bien rester avec eux trois mois de plus, mais j'en avais ma claque. Aujourd'hui encore, je garde le souvenir des horreurs que j'ai vues dans cette salle d'hôpital. Je fichai le camp comme si j'avais eu le feu au derrière.

Je revins à la maison.

Mon père était directeur de banque. Il n'avait pas beaucoup d'argent, mais il était tout prêt à m'entretenir jusqu'à ce que j'aie fini mes études et obtenu mon diplôme d'architecte conseil.

Je revins à l'université pour lui faire plaisir; mais les mois que j'avais passés dans une unité combattante et les mois d'hôpital m'avaient drôlement secoué. Je m'aperçus que ça ne m'intéressait plus de devenir architecte. J'étais absolument incapable de concentrer mon attention. J'abandonnai au bout d'une semaine. J'expliquai à mon père ce qu'il en était. Il m'écouta et se montra compréhensif.

— Et maintenant, que vas-tu faire?

Je lui dis que je n'en savais rien mais que j'étais bien sûr d'une chose : je ne pouvais pas me remettre à étudier, du moins pendant un certain temps.

Son regard se posa sur ma paupière droite un peu tombante, puis sur ma cicatrice à la mâchoire, et il finit par me dire, en souriant :

— C'est bon, Jeff. Tu es encore jeune. Pourquoi n'irais-tu pas te promener quelque part pour te distraire? Je peux te donner deux cents dollars. Prends des vacances, et ensuite tu reviendras te mettre au travail.

J'acceptai l'argent. Ça m'embêtait drôlement de le prendre, car je savais que ça allait faire un fameux trou dans son budget; mais, à ce moment-là, mon moral était au plus bas, et je sentais bien que, si je ne partais pas, j'allais perdre complètement les pédales.

J'arrivai à Los Angeles avec la vague idée de trouver du boulot dans un studio de cinéma. Je ne tardai pas à perdre tout espoir à ce sujet.

Je m'en foutais, d'ailleurs. J'étais dans un état d'esprit minable. Je n'avais aucune envie de travailler. Pendant un mois je traînai au bord de l'eau sans rien faire, en buvant beaucoup trop. A cette époque, des tas de types occupaient des emplois réservés, et, comme ils avaient mauvaise conscience parce qu'ils n'avaient pas combattu, ils étaient prêts à payer à boire aux gars démobilisés qui, en échange, leur racontaient des récits de bataille. Mais ça ne dura pas longtemps. Je me trouvai bientôt à fond de cale, et je commençai à me demander comment j'allais me débrouiller pour mon prochain repas.

J'avais pris l'habitude de me rendre tous les soirs au bistrot de Rusty Mac Gowan. C'était une boîte qui ne manquait pas de cachet, face à la baie où sont ancrés les bateaux-tripots. Rusty avait fait arranger sa taule comme une cabine : hublots en guise de fenêtres, et des tas de cuivres que Sam, le garçon nègre, avait un mal fou à tenir bien astiqués.

Rusty avait servi comme sergent-major et s'était battu contre les Japonais. Il savait ce que j'avais dû encaisser, et il s'intéressait à moi. C'était un très brave type. Ç'avait beau être un dur de dur, il aurait fait n'importe quoi pour moi. Quand il apprit que je cherchais du travail, il me dit qu'il avait l'intention d'acheter un piano s'il pouvait seulement trouver quelqu'un pour en jouer; après ça, il me fit un large sourire.

Il frappait à la bonne porte. La seule chose que je pouvais faire potablement, c'était jouer du piano. Je lui dis d'en acheter un immédiatement, et il s'exécuta.

Je jouais dans son bistrot de huit heures du soir à minuit pour trente dollars par semaine. Ça faisait très bien mon affaire. J'avais de quoi payer ma chambre, mes cigarettes et ma croûte. Rusty me fournissait l'alcool.

Assez souvent il me demandait combien de temps je comptais encore rester chez lui. Il me disait que, vu mon éducation, je devrais faire mieux que de taper sur un piano à longueur de nuit. Moi, je lui répondais que, du moment que ça me convenait, ce que je faisais ne le regardait pas.

Voilà comment se présentaient les choses quand Rima arriva sous la pluie battante. J'avais vingt-trois ans, et j'étais parfaitement inutile. Quand elle entra dans le bistrot, de sérieux ennuis pour moi entrèrent avec elle. Je ne m'en doutai pas à ce moment-là, mais je ne tardai pas à l'apprendre.

Le lendemain matin, un peu après dix heures, Mme Millard, la patronne du meublé où j'habitais, me cria du bas de l'escalier qu'on me demandait au téléphone.

J'étais en train d'essayer de me raser sans toucher aux marques d'ongles sur ma figure, qui avaient enflé pendant la nuit et qui étaient maintenant ignobles à voir. Je jurai à voix basse en enlevant le savon avec ma serviette.

Je descendis les trois étages, gagnai la cabine dans le vestibule et pris l'écouteur.

C'était le sergent Hammond.

— Nous n'aurons pas besoin de vous au tribunal, Gordon, dit-il. Nous laissons tomber l'inculpation d'attaque à main armée contre Wilbur.

— Pourquoi ça? demandai-je d'un ton surpris.

— Ma foi, cette môme aux tifs d'argent a tout du baiser qui tue. Elle lui a fait coller vingt ans de taule sur le dos.

— Qu'est-ce que vous me racontez?

— La vérité. Nous avons contacté les gars de la police de New York. En apprenant que nous avions ramassé Wilbur, ils ont manifesté la joie d'une mère qui retrouve son enfant disparu depuis longtemps. Avec ce qu'ils ont contre lui, ils peuvent le mettre à l'ombre pour vingt ans.

— Mince! Ça fait un bail!

— Comme vous dites.

Il marqua une pause, pendant laquelle j'entendis sa respiration lente et bruyante à l'autre bout de la ligne.

— Elle a demandé votre adresse, reprit-il.

— Ah! oui? Eh bien, ça n'est pas un secret. Vous la lui avez donnée?

— Non, malgré qu'elle m'ait dit qu'elle voulait simplement vous remercier de lui avoir sauvé la vie. Profitez de mon tuyau, Gordon : tenez-vous à l'écart de cette môme. J'ai idée qu'elle pourrait empoisonner la vie de n'importe quel type.

Cette réflexion me mit à cran : je n'acceptais pas facilement les conseils.

— Je verrai ce que j'ai à faire, dis-je.

— Je n'en doute pas. Au revoir!

Il raccrocha.

Ce soir-là, vers neuf heures, Rima entra dans le bistrot. Elle portait un chandail noir et une jupe grise. Le chandail noir mettait bien en valeur ses cheveux d'argent.

La salle était pleine. Rusty avait tant de boulot qu'il ne la vit pas entrer.

Elle s'assit à une table tout à côté de moi. J'exécutais un nocturne de Chopin. Personne n'écoutait. Je jouais pour mon plaisir personnel.

— Bonsoir, dis-je. Comment va ce bras?

— Très bien.

Elle ouvrit son petit sac miteux, en tira un paquet de cigarettes et poursuivit :

— Je vous remercie de la grande scène du sauvetage, la nuit dernière.

— Ça ne vaut pas la peine d'en parler. J'ai toujours été un héros.

Je retirai mes mains du clavier et me tournai vers elle :

— Je sais que j'ai une gueule épouvantable, mais ça ne durera pas longtemps.

Elle pencha la tête de côté pour mieux m'examiner :

— D'après ce que je vois, on dirait que vous avez l'habitude d'exposer votre figure à des ennuis sérieux.

— C'est exact.

Je fis demi-tour et commençai à chercher sur le clavier l'air de *Ça ne pouvait être que toi*. Ça me gênait toujours quand on me parlait de ma figure.

— J'ai entendu dire que Wilbur en avait pris pour vingt ans, ajoutai-je.

— Bon débarras! répliqua-t-elle en plissant le nez. J'espère que, cette fois, je l'ai perdu pour de bon. Il a piqué deux flics à New York. Il a de la veine qu'ils n'en soient pas morts. Ce petit gars-là joue du couteau comme pas un.

— Je n'en doute pas.

Sam, le garçon, s'approcha de sa table et la regarda d'un air interrogateur.

— Vous feriez bien de commander quelque chose, lui dis-je; sans ça, on va vous vider.

20

— C'est une invitation? me demanda-t-elle en levant les sourcils.

— Non. Si vous n'avez pas les moyens de vous payer un verre, vous ne devriez pas venir ici.

Ele dit à Sam de lui apporter un Cinzano.

— Pendant que nous sommes sur ce sujet, poursuivis-je, laissez-moi vous dire que je n'ai aucune intention d'avoir une liaison avec vous. Je ne peux pas m'offrir ce luxe.

Elle me regarda d'un air ahuri.

— Ma foi, vous êtes franc, même si vous êtes radin.

— Vous avez mis le doigt dessus. Je m'appelle Frank Radin, ma poupée.

Je commençai à jouer *Corps et Ame*.

Depuis que j'avais reçu ce shrapnell en pleine figure, j'avais cessé de m'intéresser aux femmes aussi bien qu'au travail. Dans un temps, j'avais couru les filles, comme font la plupart des étudiants, mais, maintenant, ça ne me disait plus rien. Ces six mois d'hôpital m'avaient vidé de tout : j'étais un espèce d'automate asexué, et j'y prenais plaisir.

Soudain, je m'aperçus que Rima chantait doucement l'air que je jouais, et, au bout de cinq ou six mesures, je sentis un frisson me parcourir l'échine.

Ce n'était pas une voix ordinaire : en plein dans le ton, un peu à contre-rythme comme il le fallait, et aussi claire qu'une cloche d'argent. C'est surtout ce timbre argentin que je trouvai formidable par comparaison avec la voix rauque de toutes les chanteuses de beuglants qu'on entend gémir sur les disques.

Je continuai de jouer en l'écoutant. Elle s'arrêta net lorsque Sam lui apporta sa consommation. Quand il fut parti, je me tournai brusquement vers elle.

— Qui est-ce qui t'a appris à chanter comme ça?

— Ma foi, personne. Vous appelez ça chanter?

— Et comment! Qu'est-ce que ça donne quand tu y vas pleins gaz?

— Vous voulez diré : quand je chante fort?

— Oui, c'est ce que je veux dire.

Elle voûta ses épaules.

— Je suis capable de chanter fort.

— Alors, vas-y. *Corps et Ame*. Aussi bougrement fort que tu voudras.

— Je vais me faire vider, dit-elle d'un air apeuré.

— Vas-y carrément, et chante fort. Si c'est bon, je m'occuperai de toi. Si c'est mauvais, je me fous pas mal que tu te fasses vider.

Je commençai à jouer.

Je lui avais dit de chanter fort, mais ce qui sortit de son gosier me bouleversa. Je m'attendais bien à une chose remarquable, mais pas à ce volume de son qui trancha au milieu du vacarme de la salle, comme un rasoir fendant une pièce de soie.

Après les trois premières mesures, le bruit s'arrêta net. Même les poivrots cessèrent de jacasser et se retournèrent pour regarder Rima d'un air sidéré. Rusty, les yeux exorbités, se pencha par-dessus le comptoir, appuyé sur ses deux poings gros comme des jambons.

Elle n'avait même pas eu besoin de se lever. Renversée sur le dossier de sa chaise, gonflant légèrement sa large poitrine, elle laissait couler la mélodie de ses lèvres aussi aisément qu'un robinet laisse couler de l'eau. La chanson emplissait toute la salle. Elle cognait tous les clients entre les deux yeux. Elle les accrochait comme un hameçon accroche un poisson. C'était du swing, c'était du blues, c'était formidable!

Au bout d'un couplet et d'un refrain, je lui fis signe de s'arrêter. La dernière note qu'elle lança me fit passer un frisson tout le long de l'échine jusqu'aux cheveux, et les ivrognes eurent la même sensation. Elle emplit toute la salle, l'espace d'un moment, puis Rima ferma la bouche, et les verres des étagères cessèrent de vibrer.

Je restai sans bouger, à attendre, les mains posées sur le clavier.

Tout se passa comme je l'avais prévu. C'était trop pour eux. Il n'y eut ni applaudissements ni bravos. Personne ne regarda Rima. Rusty prit un verre et se mit à l'astiquer d'un air embarrassé. Trois ou quatre habitués gagnèrent la porte d'un pas nonchalant et sortirent. Le bourdonnement de la conversation recommença, mais sur un ton de malaise. Ç'avait été trop bien pour eux : ils ne pouvaient absolument pas encaisser ça.

Je regardai Rima qui me fit une grimace en plissant son nez. (Je ne tardai pas à connaître le sens de cette expression de son visage. Ça voulait dire : « Et après? Je m'en fous pas mal. »)

— Des perles aux cochons, dis-je. Avec une voix pareille, tu es sûre de réussir. Tu pourrais gagner une fortune en chantant. Tu pourrais devenir le plus grand succès du jour!

— Vous croyez? répliqua-t-elle en haussant les épaules. Dites-moi : où est-ce que je pourrais trouver une piaule bon marché? Je n'ai presque plus d'oseille.

J'éclatai d'un rire moqueur.

— Ne t'inquiète pas pour la question fric. Tu ne te rends pas compte que ta voix vaut de l'or?

— Une chose à la fois. Il faut que j'économise.

— Viens t'installer dans mon meublé. Il n'y a rien de moins cher, et rien de plus dégueulasse. 25, Lexon Avenue : le premier tournant à droite en sortant d'ici.

Elle écrasa son mégot dans un cendrier et se leva.

— Merci, je vais m'en occuper tout de suite.

Elle sortit du bistrot, ondulant légèrement de la croupe et tenant très haut sa tête aux cheveux d'argent.

Tous les soiffards assis au comptoir la regardèrent partir en ouvrant des yeux comme des soucoupes. L'un d'eux eut même l'idiotie de la siffler.

C'est seulement lorsque Sam m'eut poussé du coude que je m'aperçus qu'elle était partie sans payer sa consommation.

Je payai pour elle.

J'avais l'impression que je ne pouvais pas faire moins après avoir entendu cette voix merveilleuse.

# CHAPITRE II

## I

Je revins chez moi peu après minuit. Au moment où je tournais la clé dans la serrure, la porte d'en face s'ouvrit, et Rima parut sur le seuil.

— Bonjour, dit-elle. Vous voyez : j'ai emménagé.

— Je t'ai averti que ça n'était pas fameux, répliquai-je en ouvrant ma porte et en allumant la lumière; mais, du moins, c'est bon marché.

— Ce que vous m'avez raconté à propos de ma voix, c'était sérieux?

J'entrai dans ma chambre, laissant la porte grande ouverte, et je m'assis sur le lit.

— Très sérieux. Tu peux gagner des tas d'argent avec une voix pareille.

— Il y a ici des milliers de chanteuses qui crèvent de faim, fit-elle en traversant le couloir pour venir s'appuyer contre le montant de ma porte. Je n'avais jamais eu l'idée de me mettre sur les rangs. Je crois que ça me serait plus facile de gagner de l'argent comme figurante dans des films.

J'avais été incapable de m'enthousiasmer pour quoi que ce soit depuis ma démobilisation, mais sa voix m'avait vraiment emballé.

J'avais déjà parlé d'elle à Rusty. Je lui avais proposé de la faire chanter dans son bistrot, mais il n'avait pas voulu en entendre parler. Elle chantait rudement bien, d'accord, mais il ne permettrait à aucun prix à une femme de chanter chez lui. Ça ne pouvait pas manquer d'amener des embêtements tôt ou tard; et il avait déjà assez d'ennuis pour faire marcher son bistrot sans en chercher d'autres.

24

— Je connais un type qui pourrait te dépanner, dis-je à Rima. J'irai le voir demain. Il dirige une boîte de nuit dans la Dixième Rue. Ça n'a rien de très reluisant, mais ce serait un début.

— Bon, merci...

Son ton me sembla si morne que je lui jetai un coup d'œil perçant.

— Tu n'as donc pas envie de devenir une chanteuse professionnelle?

— Je ferais n'importe quoi pour gagner un peu d'argent.

— Bon, j'irai parler à ce type.

Je me déchaussai pour lui faire comprendre qu'elle devait regagner sa chambre, mais elle resta sur place à me regarder de ses grands yeux bleu cobalt.

— Je vais me pieuter, lui dis-je. Je te verrai demain, dans la journée. J'irai parler à ce type.

— Merci, merci beaucoup, fit-elle sans bouger.

Puis, après un silence, elle ajouta :

— Ça m'embête de vous demander ça, mais pourriez-vous me prêter cinq dollars? Je suis complètement fauchée.

J'enlevai mon veston et le jetai sur une chaise.

— Moi aussi, répliquai-je. Ça fait six mois que je suis complètement fauché. Te casse pas la tête pour ça : tu t'y habitueras.

— Je n'ai rien mangé de toute la journée.

Je commençai à dénouer ma cravate.

— Désolé. Je suis fauché, moi aussi. Je ne peux pas te donner un sou. Va te coucher. Tu oublieras que tu as faim en dormant.

Brusquement, elle bomba la poitrine pour faire ressortir ses seins, et me dit tout en gardant un visage complètement impassible :

— Il me faut absolument un peu d'argent. Je suis prête à passer la nuit avec toi si tu veux bien me filer cinq dollars. Je te les rendrai.

Je pendis ma veste dans le placard. Puis, le dos tourné à Rima, je lui dis d'un ton sec :

— Fous le camp. Je t'ai déjà avertie : je ne veux pas de liaison. Allez, débine-toi.

J'entendis ma porte se refermer, et je fis une grimace. Ensuite, je tournai la clé dans la serrure. Après m'être lavé dans la cuvette en zinc sur la table de toilette et avoir refait le pansement de ma figure, je me couchai.

Je me mis à songer à Rima, et c'était la première fois depuis des mois que je pensais à une femme. Je me demandai pourquoi elle n'avait pas essayé de se faire chanteuse professionnelle. Avec une voix pareille, son physique, sa bonne volonté apparente, il était difficile de comprendre pourquoi elle n'avait pas réussi.

Je pensai à sa voix. Peut-être que ce type que je connaissais, Willy Floyd, le patron de *La Rose bleue*, s'intéresserait à elle.

A un moment donné, Willy s'était intéressé à moi. Il m'avait proposé de tenir le piano dans un petit orchestre à trois, de huit heures du soir à trois heures du matin. Je n'avais pas pu me résoudre à travailler avec les autres types, et c'est pour ça que j'étais allé chez Rusty. Willy m'avait offert trois fois plus d'argent que ce que me donnait Rusty, mais j'avais refusé rien qu'à l'idée d'être obligé de jouer avec d'autres.

De temps en temps il me prenait une violente envie de gagner un peu plus d'argent, mais l'effort qu'il fallait faire pour ça me décourageait. Pourtant, j'aurais bien voulu quitter ma piaule qui était assez miteuse. J'aurais bien voulu me payer une voiture d'occasion pour m'en aller tout seul quand ça me chantait.

A présent, couché dans le noir, je me demandais si je ne pourrais pas ramasser du fric sans me casser, en devenant l'agent de cette fille. Avec une voix pareille, travaillée convenablement, elle pourrait peut-être gagner gros. Elle pourrait même gagner une fortune si elle réussissait à se faire enregistrer sur disques. Un bon dix pour cent sur tout ce qu'elle ferait pourrait me procurer les petits extras dont j'avais envie.

Soudain, je l'entendis éternuer dans sa chambre. Je me rappelai qu'elle avait été trempée jusqu'aux os, la nuit d'avant, à son arrivée dans le bistrot de Rusty. Ça serait bien ma veine (et la sienne) si elle avait attrapé un rhume et ne pouvait pas chanter.

Elle éternuait encore lorsque je m'endormis.

Le lendemain matin, en sortant de ma chambre, un peu après onze heures, je la vis debout sur le pas de sa porte, en train de m'attendre.

— Bonjour, lui dis-je. Je t'ai entendue éternuer cette nuit. Est-ce que tu as pris froid?

— Non.

A la dure lumière du soleil qui entrait par la fenêtre du couloir, elle avait une gueule épouvantable : yeux cernés et larmoyants, nez rouge, visage blême aux traits tirés.

— Je m'en vais tout droit chez Willy Floyd, lui dis-je. Peut-être que tu ferais mieux de te reposer. Tu ressembles à une souris après que le chat a joué avec. Willy ne s'occupera pas de toi s'il te voit dans cet état.

— Je me sens très bien, répondit-elle en se passant une main molle sur la figure. Tu ne pourrais pas me prêter un demi-dollar pour que je me paie un peu de café?

— Ah! merde! tu vas la boucler, oui? Je t'ai déjà dit que je ne pouvais pas te donner un sou.

Sa figure s'affaissa. Ce n'était pas beau à voir.

— Mais je n'ai rien mangé depuis deux jours! Je me demande ce que je vais devenir! Tu ne peux pas me donner quelque chose... n'importe quoi?...

Du coup, je perdis patience et je me mis à gueuler.

— Je suis aussi fauché que toi! J'essaie de te trouver du boulot! Ça suffit comme ça, non?

— Mais je crève de faim! s'exclama-t-elle en s'appuyant contre le mur comme si elle allait tourner de l'œil et en se tordant les mains. Je t'en supplie, prête-moi quelque chose...

— Ah! nom de Dieu!... C'est bon! Je vais te filer un demi-dollar, mais il faudra que tu me le rembourses!

Il m'était brusquement venu à l'esprit que, si je voulais qu'elle fasse un peu d'impression sur Willy, de façon qu'il lui donne du travail et que je puisse toucher mes dix pour cent, je devais faire attention à ne pas la laisser mourir de faim.

Je rentrai dans ma chambre, ouvris le tiroir de ma table de toilette et y trouvai une pièce de cinquante *cents*. C'est dans ce tiroir que je mettais ma paie de la semaine que Rusty venait de me donner : trente dollars. Je gardai le dos tourné pour boucher la vue à Rima, et j'eus bien soin de fermer le tiroir à clé avant de lui donner son demi-dollar.

Quand elle prit la pièce, je vis que sa main tremblait.

— Merci, je te le rendrai, je t'en donne ma parole.

— Je te conseille de me le rendre. J'ai tout juste de quoi vivre, et je n'ai pas l'intention d'entretenir qui que ce soit, toi pas plus qu'une autre.

Je sortis de la chambre, fermai la porte à clé et fourrai la clé dans ma poche.

— Tu me trouveras dans ma chambre si tu as besoin de moi, dit-elle. Je vais aller prendre un café au bistrot d'en face, et je remonte tout de suite après.

— Essaie de te refaire une beauté, veux-tu? Si Willy doit te voir ce soir, il faudra que tu aies une autre allure. Tu es sûre que tu pourras chanter?

— Ne te bile pas pour ça, dit-elle en faisant un signe de tête affirmatif.

— Bon, à tout à l'heure.

Je descendis l'escalier et sortis sous le soleil.

Je trouvai Willy dans son bureau, assis devant un tas de billets de vingt dollars. Il était en train de les compter : de temps en temps il mouillait de salive son index crasseux pour avoir plus de prise.

Il me salua d'un signe de tête, puis continua de compter tandis que j'attendais, appuyé contre le mur.

Son bureau n'était pas très reluisant, mais sa boîte de nuit ne l'était pas non plus.

Willy portait toujours des vêtements très voyants. Ce jour-là, son complet de flanelle bleu pâle et sa cravate peinte à la main ornée d'une épingle de faux diamant me firent grincer des dents.

Il rangea les billets dans le tiroir de son bureau, puis se renversa sur le dossier de son fauteuil et me regarda d'un air interrogateur.

— Qu'est-ce qui te prend, Jeff? me demanda-t-il. Que viens-tu faire ici?

— J'ai trouvé une fille qui sait chanter. Elle t'emballera, Willy. C'est exactement ce que tu cherches depuis longtemps.

Il s'enfonça le petit doigt dans l'oreille, fouilla à la recherche d'un bouchon de cérumen, puis examina son ongle. Son visage rond et blême exprimait un ennui profond. Gras, petit de taille, atteint d'un début de calvitie, il avait une petite bouche, de petits yeux et un petit esprit.

— Je ne cherche pas des poules qui savent chanter. Si j'en voulais, j'en aurais treize à la douzaine, mais je n'en veux pas. Quand est-ce que tu vas jouer du piano chez moi, Jeff? Il serait temps que tu comprennes où est ton intérêt. Tu gâches ta vie.

— T'en fais pas pour moi. Je me trouve très bien où je suis. Il faut que tu entendes cette fille, Willy. Tu pourrais l'avoir pour pas cher, et elle ferait sensation. C'est une belle môme, et elle a une voix si formidable que tes foutus clients en seront comme deux ronds de flan.

Il prit un cigare dans sa poche, puis, d'un coup de dent, il en coupa le bout qu'il cracha à l'autre extrémité de la pièce.

— Je croyais que les femmes ne t'intéressaient pas.

— C'est exact. Mais il s'agit d'une affaire. Je suis

l'agent de cette fille. Laisse-moi te l'amener ce soir. Ça ne te coûtera pas un sou. Je veux d'abord que tu l'entendes; ensuite, nous pourrons discuter.

Il haussa ses grasses épaules.

— C'est bon. Je ne te promets rien, mais, si elle est aussi bien que ce que tu en dis, peut-être que je lui trouverai quelque chose.

— Elle est mieux que ce que j'en dis.

Il alluma son cigare et me souffla au nez un nuage de fumée.

— Ecoute, Jeff, pourquoi n'essaies-tu pas de te débrouiller un peu mieux? Quand vas-tu plaquer ce genre d'existence? Un type ayant ton éducation devrait faire autre chose que...

— Ça va, n'insiste pas, dis-je d'un ton impatient. Je me trouve très heureux comme je suis. A ce soir.

Là-dessus, je m'en allai.

J'étais à peu près certain que Willy lui donnerait du travail quand il l'aurait entendue. Peut-être que je l'amènerais à la payer soixante-quinze dollars par semaine. Ça ferait sept dollars et demi de supplément dans ma poche. J'étais aussi à peu près certain que, lorsqu'elle aurait chanté chez Willy pendant quinze jours, les gens commenceraient à parler d'elle. Alors je pourrais la faire entrer dans une boîte de luxe où elle gagnerait gros.

Je m'excitais drôlement sur cette idée. Je me voyais déjà dans la peau d'un agent très important, dans un bureau du tonnerre, et, plus tard, en train de recevoir les grandes vedettes et d'établir leurs contrats.

Je revins tout droit à mon meublé. C'était le moment d'annoncer à Rima que j'allais lui servir d'agent. Je ne la présenterais pas à Willy tant que je ne lui aurais pas fait signer un contrat. Je ne serais pas assez poire pour la présenter à Willy et laisser un autre type lui mettre la main dessus.

Je grimpai les trois étages deux marches à la fois et entrai dans sa chambre.

Carrie, la bonniche, était en train de défaire le lit. Mais il n'y avait pas trace de Rima.

Carrie me regarda avec de grands yeux. C'était une grande et grosse femme qui avait pour mari un chômeur ivrogne.

Elle et moi, nous nous entendions très bien. Pendant qu'elle faisait ma chambre, nous nous racontions nos embêtements. Elle en avait beaucoup plus que moi, mais elle réussissait toujours à rester gaie, et elle me pressait constamment de renoncer à mon existence actuelle et de rentrer au pays.

— Où est Miss Marshall? lui demandai-je en m'arrêtant sur le seuil.

— Elle a donné congé il y a une demi-heure.

— Donné congé? Vous voulez dire qu'elle est partie?

— Ma foi, oui.

Je me sentis terriblement à plat.

— Elle n'a pas laissé de message pour moi? Elle n'a pas dit où elle allait?

— Non.

— A-t-elle payé sa chambre?

Carrie eut un sourire qui découvrit ses longues dents jaunes. L'idée qu'on pouvait quitter l'établissement de Mme Millard sans payer lui semblait du plus haut comique.

— Elle a payé, bien sûr.

— Combien.

— Deux dollars.

Je respirai longuement et lentement. Il y avait de fortes chances pour que Rima m'ait mené en barque et refait d'un demi-dollar. Elle avait dû posséder de l'argent à elle. L'histoire des deux jours sans manger était de la frime, et je m'y étais laissé prendre.

J'allai à ma porte, tirai la clé de ma poche, la mis dans la serrure et essayai de la tourner sans y réussir. J'essayai la poignée, et la porte s'ouvrit. Pourtant, je me rappelais bien l'avoir fermée à clé avant d'aller chez Willy.

J'éprouvai un brusque sentiment de malaise en me dirigeant vers ma table de toilette. Le tiroir n'était pas fermé à clé, lui non plus, et les trente dollars qui devaient me durer toute la semaine avaient disparu.

Pas d'erreur : elle m'avait drôlement mené en barque!

## II

J'eus une semaine assez dure. Rusty se borna à me fournir deux repas par jour, mais refusa de m'entretenir en cigarettes. Mme Millard laissa courir le loyer, après m'avoir arraché la promesse de lui payer un supplément la semaine suivante. Finalement, j'arrivai au bout de ces sept jours, pendant lesquels je pensai beaucoup à Rima. Je me disais que, si je la rencontrais par hasard, je la traiterais de telle façon qu'elle se souviendrait longtemps de moi. J'étais déçu d'être obligé de renoncer à la carrière d'imprésario. Mais j'oubliai cette garce au bout de deux semaines, et ma vie routinière, inutile, continua comme auparavant.

Puis, un mois après qu'elle m'eut faussé compagnie en emportant mon argent, Rusty me demanda si je voulais aller à Hollywood chercher une enseigne au néon qu'il avait commandée. Il me prêterait sa voiture et me donnerait deux dollars pour ma peine.

Comme je n'avais rien de mieux à faire, j'acceptai sa proposition. Je pris l'enseigne que je chargeai à l'arrière de la vieille Oldsmobile déglinguée. Ensuite, j'allai faire un tour du côté des studios, histoire de passer le temps.

Devant les studios Paramount, j'aperçus Rima en train de discuter avec le portier. Je reconnus ses cheveux d'argent du premier coup d'œil.

Elle portait un pantalon de toile noire collant, une chemise rouge et des ballerines rouges. Elle paraissait sale et négligée.

Ayant casé ma voiture entre une Buick et une Cadillac, je me dirigeai à pied vers Rima.

Tandis que j'approchais d'elle, le portier entra dans son bureau et claqua la porte derrière lui. Rima fit demi-tour, puis s'en alla dans ma direction sans me regarder.

Elle s'aperçut de ma présence quand elle fut à trois pas. Elle s'arrêta net et me regarda fixement. Je vis à l'expression de ses yeux qu'elle me reconnaissait, et son visage s'empourpra violemment.

Elle jeta un coup d'œil furtif à droite et à gauche, puis, comme il n'y avait nulle part aucun endroit où elle pouvait se réfugier, elle décida de me la faire à l'estomac.

— Bonjour, dis-je. Justement je te cherchais.

— Bonjour.

Je fis un pas en avant pour être à même de l'empoigner dans le cas où elle essaierait de se débiner.

— Tu me dois trente dollars, lui dis-je en souriant.

— Si c'est une plaisanterie, avertis-moi, fit-elle en évitant de me regarder. Je te dois trente dollars pour quoi?

— Il s'agit des trente dollars que tu m'as volés. Allons, ma poupée, crache-les tout de suite; sans ça, nous irons tous les deux au poste de police, et nous laisserons les flics débrouiller l'affaire.

— Je ne t'ai rien volé. Je te dois un demi-dollar, c'est tout.

Ma main se referma sur son bras mince.

— Allons-y, dis-je. N'essaie pas de faire une scène. Je suis beaucoup plus fort que toi. Viens avec moi au poste; nous demanderons aux flics de décider qui ment et qui ne ment pas.

Elle tenta un faible effort pour se dégager, mais l'étreinte de mes doigts meurtrissant sa chair dut lui faire comprendre qu'elle n'avait aucune chance d'y réussir, car, après avoir haussé brusquement les épaules, elle me suivit jusqu'à l'Oldsmobile. Je la poussai à l'intérieur et m'assis à côté d'elle.

Au moment où je mettais le moteur en marche, elle me demanda d'un ton qui révélait un intérêt soudain :

— Cette voiture est à toi?

— Non, ma poupée, on me l'a prêtée. Je suis toujours fauché, et j'ai toujours l'intention de te faire cracher l'argent que tu m'as soulevé. Comment t'es-tu débrouillée dans la vie depuis la dernière fois que je t'ai vue?

Elle plissa le nez et s'affala sur son siège.

— Plutôt mal. Je suis sans un.

— Alors, ça sera très bien pour toi de passer quelque temps en prison : on te nourrira à l'œil.

— Tu ne vas pas m'envoyer en prison, tout de même...

— Tu as raison : je ne vais pas t'y envoyer, pourvu que tu me rendes mes trente dollars.

Elle se tourna vers moi, les seins pointés en avant, et posa sa main sur mon bras.

— Je te demande pardon, dit-elle. J'avais absolument besoin de cet argent. Je te le rendrai, je te le jure.

— Ne jure pas. Contente-toi de me le rendre.

— Je ne l'ai plus. Je l'ai dépensé.

— Passe-moi ton sac.

— Non! s'exclama-t-elle en refermant sa main sur son petit sac miteux.

Je donnai un coup de volant et arrêtai la voiture le long du trottoir.

— Tu as entendu ce que je t'ai dit! passe-moi ton sac, ou bien je te conduis au commissariat le plus proche.

Elle fixa sur moi ses yeux bleu cobalt étincelants de colère.

— Fiche-moi la paix! Je n'ai pas d'argent! J'ai tout dépensé!

— Ecoute, poupée : tes salades ne m'intéressent pas.

Passe-moi ton sac, ou bien tu iras t'expliquer avec les flics!

— Tu le regretteras, je te le jure. Je n'oublie pas facilement.

— Je me fous pas mal de la façon dont tu oublies. Passe-moi ton sac!

Elle me le jeta sur les genoux.

Je l'ouvris. Il contenait cinq dollars et huit *cents*, un paquet de cigarettes, une clé de chambre et un mouchoir sale.

Je pris l'argent, le mis dans ma poche, puis, après avoir refermé le sac, je le lui jetai.

Tout en l'attrapant dans ses mains, elle me dit d'une voix douce :

— Voilà une chose que je n'oublierai jamais.

— Parfait. Ça t'apprendra à ne pas me voler à l'avenir. Où est-ce que tu habites?

Le visage dur comme un masque, elle me donna son adresse d'un ton morose : celle d'un meublé pas loin de l'endroit où nous étions.

— Bon, c'est là que nous allons.

Suivant ses indications données d'une voix maussade, je roulai jusqu'au meublé qui était un tout petit peu plus sale et délabré que le mien, et nous descendîmes de voiture.

— Tu va venir habiter avec moi, ma poupée, lui dis-je. Tu vas gagner de l'argent en chantant, et tu me rendras ce que tu m'as volé. A partir de maintenant, je suis ton agent et tu me paies dix pour cent de tout ce que tu ramasses. Nous allons mettre ça par écrit, mais, d'abord, tu vas faire tes paquets et sortir de cette taule.

— Je ne gagnerai jamais un sou en chantant.

— Ça, c'est mes oignons, ma belle. Tu feras ce que je te dirai de faire, ou bien tu iras en prison. Choisis ce que tu préfères, mais dépêche-toi de prendre une décision.

— Pourquoi ne veux-tu pas me laisser tranquille?

Je te dis que je ne gagnerai jamais un sou en chantant.

— Tu viens avec moi ou tu vas en prison.

Elle me regarda bien en face pendant un bon moment. La haine qui brûlait dans ses yeux ne m'impressionna pas du tout. Je l'avais mise au pied du mur, et elle pouvait me détester tant qu'elle voulait. Elle allait me rendre mon argent.

— C'est bon, j'irai avec toi, répondit-elle en haussant les épaules.

Elle eut vite fait ses paquets. Je dus laisser quatre de ses dollars pour payer sa piaule; après quoi, je la ramenai à mon meublé.

Son ancienne chambre était libre, elle s'y installa de nouveau. Pendant qu'elle déballait sa valise, je rédigeai un contrat plein de termes légaux qui ne voulaient rien dire mais qui produisaient beaucoup d'effet et faisaient de moi l'agent de Rima moyennant dix pour cent de ses gains.

J'apportai ce document dans sa chambre.

— Signe ici, lui dis-je en montrant du doigt la ligne en pointillé.

— Je ne veux rien signer, répliqua-t-elle d'une voix morne.

— Signe ça, ou bien nous allons au commissariat.

De nouveau, je vis la haine briller dans ses yeux, mais elle signa.

— C'est bon, dis-je en empochant le papier. Ce soir, nous irons à *La Rose bleue* où tu chanteras. Tu chanteras comme tu n'as jamais chanté jusqu'ici, et tu dégotteras un engagement à soixante-quinze dollars par semaine. Là-dessus je retiendrai dix pour cent, plus les trente dollars que tu me dois. A partir d'aujourd'hui, ma poupée, tu travailles d'abord pour moi, ensuite pour toi.

— Je ne gagnerai pas un sou : tu verras ce que je te dis.

— Non, mais qu'est-ce qui te prend? Avec une voix pareille, tu peux ramasser une fortune.

Elle alluma une cigarette et avala à fond la fumée. Brusquement elle prit un air complètement apathique et s'affaissa sur sa chaise comme si sa colonne vertébrale venait de fondre.

— D'accord. Comme tu voudras.

— Qu'est-ce que tu vas te mettre sur le dos?

Faisant un effort visible, elle se leva pour aller ouvrir l'armoire. Elle n'avait qu'une robe qui ne valait pas grand-chose; mais je savais que *La Rose bleue* n'était pas éclairée *a giorno,* et je me dis que cette robe pourrait passer en cas de besoin. D'ailleurs, il le faudrait bien.

— Est-ce que je pourrais avoir de quoi manger? demanda-t-elle en s'affaissant de nouveau sur sa chaise. Je n'ai rien pris de toute la journée.

— Bon sang! tu ne penses qu'à bouffer! Tu mangeras quand tu auras dégotté ce boulot, mais pas avant. Qu'as-tu donc fait de tout cet argent que tu m'as volé?

— Il m'a permis de vivre, répliqua-t-elle en prenant de nouveau un air maussade. Comment t'imagines-tu que j'aurais pu vivre sans ça pendant le mois dernier?

— Tu ne travailles jamais?

— Quand je peux.

Je lui posai alors la question que je n'avais pas cessé de me poser depuis notre première rencontre.

— Comment t'es-tu mise à la colle avec ce camé, ce Wilbur?

— Il avait de l'argent, et il n'était pas radin comme toi.

Je m'assis sur le lit.

— D'où le sortait-il?

— Je ne sais pas. Je ne le lui ai jamais demandé. Pendant quelque temps, il a roulé dans une Packard. S'il n'avait pas eu des ennuis avec les flics, nous aurions encore la voiture.

— Quand il a eu des ennuis, tu l'as plaqué?

Elle glissa la main sous sa chemise et remonta l'attache de son soutien-gorge.

— Bien sûr. Les flics étaient après lui. Moi, je n'étais pas dans le coup; alors, j'ai filé.

— Ça se passait à New York?

— Oui.

— Comment as-tu fait pour payer ton voyage jusqu'ici?

Elle détourna les yeux.

— J'avais un peu d'argent. Qu'est-ce que ça peut te fiche?

— Je parierai que tu lui as fauché son fric comme tu m'as fauché le mien.

— Comme tu voudras, dit-elle d'un ton indifférent.

— Que vas-tu chanter ce soir? Tu feras bien de commencer par *Corps et Âme*. Mais qu'est-ce que tu sais d'autre pour donner en bis?

— Qu'est-ce qui te fait croire qu'il y aura un bis? demanda-t-elle en reprenant son air maussade.

Je maîtrisai une forte envie de la gifler.

— Nous nous en tiendrons aux succès d'autrefois. Est-ce que tu connais : *J' peux pas m'empêcher d'aimer cet homme?*

— Oui.

Ça, c'était du tout cuit. Quand elle leur sortirait ce morceau avec tout son volume de voix au timbre argentin, ils en tomberaient sur le cul.

Je jetai un coup d'œil à ma montre qui marquait sept heures et quart.

— Parfait, lui dis-je. Prépare-toi. Je serai de retour dans une heure.

Je gagnai la porte et retirai la clé de la serrure.

— Des fois que tu aurais l'idée de te sauver, ma jolie, je vais te boucler dans ta chambre.

— Je ne vais pas me sauver.

— Je saurai bien t'en empêcher.

Je sortis et fermai la porte à clé.

J'allai livrer l'enseigne au néon à Rusty et lui dire que je ne viendrai pas ce soir-là.

Il me regarda fixement, puis se gratta la tête d'un air embarrassé.

— Dis donc Jeff, il est temps que nous causions un peu, toi et moi. Ce que tu joues au piano n'intéresse pas mes clients. Je ne peux pas continuer à te donner trente dollars par semaine. Sois raisonnable, et rentre chez toi. La vie que tu mènes ici ne te vaut rien. De toute façon, je ne peux pas te garder. Je vais acheter un appareil à disques. C'est ta dernière semaine.

— C'est bon, Rusty, lui répondis-je en souriant. Je sais que tes intentions sont bonnes, mais je ne vais pas rentrer chez moi. La prochaine fois que tu me verras, je serai au volant d'une Cadillac.

Je me moquais pas mal de perdre trente dollars par semaine. J'étais certain que Rima gagnerait gros dans un mois ou deux. Avec une voix pareille, elle était sûre de son coup.

J'appelai Willy Floyd au téléphone et lui dis que je lui amènerai Rima pour une audition vers neuf heures et demie.

Il me répondit que c'était d'accord, mais sa voix manquait d'enthousiasme.

Ensuite, je regagnai le meublé, ouvris la porte de Rima et jetai un coup d'œil dans la chambre.

Elle dormait sur son lit.

Comme nous avions beaucoup de temps devant nous, je la laissai dormir. J'entrai dans ma chambre où je me rasai et mis une chemise propre. Puis je tirai du placard mon smoking que je nettoyai et repassai de mon mieux. Il n'en avait plus pour longtemps, mais il faudrait bien qu'il dure jusqu'à ce que j'aie assez d'argent pour m'en payer un autre.

A neuf heures moins le quart, j'entrai chez Rima et la réveillai.

— Allez, prima donna, lui dis-je. Magne-toi un peu. Tu as encore une demi-heure.

Elle me parut assez apathique, et je vis qu'elle devait faire un gros effort pour se tirer du lit.

Après tout, peut-être qu'elle avait faim. Je ne pouvais pas m'attendre à ce qu'elle chante si elle était aussi mal en point qu'elle en avait l'air.

— Je vais envoyer Carrie t'acheter un sandwich pendant que tu t'habilles, lui dis-je. Tu l'auras dès que tu seras prête.

— Comme tu voudras.

Son indifférence commençait à m'inquiéter. Je la laissai au moment où elle enlevait son pantalon, et j'allai trouver Carrie qui prenait l'air sur le pas de la porte.

Je lui demandai d'aller me chercher un sandwich au poulet. Elle me l'apporta dix minutes plus tard, dans un sac en papier, et je le montai dans la chambre de Rima.

Elle avait enfilé sa robe, et, assise sur sa chaise, elle se regardait fixement dans la glace couverte de chiures de mouches. Je lui jetai le sac sur les genoux, mais elle le fit tomber par terre d'un revers de main, en faisant la grimace.

— Je n'en veux pas.

— Bon sang de bonsoir!...

Je la saisis par les bras, la mis debout et la secouai rudement.

— Tu vas te remuer un peu, non? Il faut que tu chantes tout à l'heure, tu m'entends? Tu ne retrouveras jamais une occasion pareille! Allez, avale-moi ce sandwich, nom de Dieu! Tu est toujours à chialer que tu as faim! Eh bien, vas-y, bouffe!

Elle ramassa le sac, en tira le sandwich et commença à grignoter. Quand elle arriva au poulet, elle le posa précipitamment sur ses genoux.

— Si j'en prends une bouchée de plus, je vais gerber.

Je me mis à manger le sandwich.

— Tu me fatigues, dis-je, la bouche pleine. Il y a des moments où je regrette de t'avoir rencontrée. C'est bon, allons-y! J'ai dit à Willy que nous serions là à neuf heures et demie.

Sans cesser de mastiquer, je reculai d'un pas et la regardai. Elle ressemblait à un fantôme frêle, couleur de vieil ivoire, avec des cernes violets sous les yeux; mais, malgré ça, elle réussissait à paraître intéressante et excitante.

Nous descendîmes l'escalier et sortîmes dans la rue.

La nuit était chaude, mais, tandis que son corps frôlait le mien en marchant, je sentis qu'elle tremblait.

— Qu'est-ce qui te prend? lui demandai-je. Tu as froid? Tu es malade?

— Mais non, ça va.

Soudain, elle éternua violemment.

— Ça suffit comme ça! hurlai-je. Il faut que tu chantes ce soir!

— Comme tu voudras.

Je commençais à en avoir sérieusement marre, mais je ne cessais pas de penser à cette voix. Si elle se mettait à éternuer à la figure de Willy Floyd, elle aurait un fameux succès auprès de lui!

Nous prîmes un tram en direction de la Dixième Rue. La voiture était bondée et nous étions étroitement serrés l'un contre l'autre. De temps en temps, je sentais son corps mince trembler de la tête aux pieds. Je commençai à m'inquiéter sérieusement à son sujet.

— Tu es sûre que tu n'es pas malade? lui demandai-je. Tu te sens capable de chanter, j'espère?

— Je vais très bien. Fiche-moi la paix!

*La Rose bleue* était pleine à craquer des clients habituels, durs à cuire de toute espèce : hommes d'affaires presque arrivés et presque honnêtes, respectueuses presque belles, figurantes des studios, et quelques gangsters désireux de s'offrir une soirée de détente.

L'orchestre jouait un air de hot swing. Les garçons débordés suaient à grosses gouttes. L'atmosphère était à couper au couteau.

Je poussai Rima devant moi jusqu'au bureau de Willy. Je frappai, ouvris la porte et la fis entrer.

Willy se curait les ongles, les pieds sur sa table de travail. Il leva les yeux vers nous et fronça les sourcils.

— Bonsoir, Willy, dis-je. Nous voici. Je te présente Rima Marshall.

Il la regarda fixement et inclina la tête. Puis ses petits yeux l'examinèrent de haut en bas, et il fit la grimace.

— Quand est-ce que nous passons? demandai-je.

— Ça m'est égal, répondit-il en haussant les épaules. Tout de suite, si vous voulez.

Il posa ses pieds par terre et ajouta :

— Tu es sûr qu'elle vaut le coup? Elle ne m'a pas l'air tellement formidable.

Dans un accès d'énergie inattendu, Rima déclara soudain :

— Je n'ai pas demandé à venir ici...

— Ecrase, c'est moi qui mène les opérations, lui dis-je.

Puis m'adressant à Willy, j'ajoutai :

— Attends un peu, et tu verras. Pour ce début, elle va te coûter cent dollars.

Il éclata de rire.

— Ben, mon salaud! Il faudrait qu'elle soit drôlement sensass pour que je me fende d'une somme pareille! Bon, allons-y. Voyons un peu de quoi elle est capable.

Nous entrâmes dans le restaurant et attendîmes dans la pénombre que l'orchestre ait fini de jouer. Alors Willy gagna l'estrade, dit aux gars de se reposer et annonça Rima.

Il ne lui jeta pas de fleurs. Il se contenta de dire qu'il y avait là une fillette qui voudrait bien chanter deux chansons. Ensuite il nous fit un signe de la main, et nous entrâmes sur la piste.

— Aussi fort que tu voudras, dis-je à Rima, en m'asseyant au piano.

La plupart des clients n'avaient même pas cessé de bavarder. Pas un seul n'applaudit.

Ça m'était parfaitement égal. Je savais que, dès qu'elle ouvrirait la bouche pour laisser couler ce flot de son argentin, ils seraient si abasourdis qu'ils ne tarderaient pas à se taire.

Willy se tenait près de moi, les sourcils froncés. Il ne quittait pas Rima des yeux. Quelque chose semblait le préoccuper.

Rima, debout près du piano, regardant d'un air impassible la salle obscure et pleine de fumée, avait l'air parfaitement à son aise.

Je me mis à jouer.

Elle attaqua en plein dans le ton. Elle chanta les six ou sept premières mesures comme une professionnelle : ton parfaitement juste, timbre d'argent, rythme impeccable.

Je l'observais avec attention, et je m'aperçus bientôt que les choses se gâtaient. Son visage s'affaissa. Elle perdit le ton. Le timbre de sa voix devint cuivré. Puis, soudain, elle s'arrêta de chanter et commença à éternuer. Elle se pencha en avant, le visage enfoui dans les mains, éternuant sans arrêt, tremblant de tout son corps.

Il y eut un affreux silence, uniquement rompu par le bruit de ses éternuements. Ensuite vint un brouhaha de voix confuses.

Je cessai de jouer et sentis des frissons glacés me parcourir l'échine.

J'entendis Willy qui me hurlait :

— Fous-moi cette camée dehors. Qu'est-ce qui t'a pris de m'amener une droguée ici? Vide-la, tu m'entends? Fous-moi cette putain de camée à la porte!

# CHAPITRE III

## I

Rima gisait sur son lit, le visage à demi caché par l'oreiller, tremblant de tout son corps et éternuant de temps à autre.

Moi, je l'observais, debout au pied du lit.

J'aurais dû m'en douter. J'aurais dû reconnaître les symptômes. Pourtant je n'avais pas eu la moindre idée que c'était une camée, bien que le mot ait été écrit sur le mur en lettres de feu, la nuit où je l'avais entendue éternuer à longueur d'heures.

Willy Floyd avait été furieux contre moi. Avant de nous flanquer dehors, il m'avait dit que si jamais je mettais les pieds dans sa boîte, il me confierait aux soins de son videur, et il parlait sérieusement.

J'avais eu un mal de chien à ramener Rima dans sa chambre. Elle était dans un tel état que je n'avais pas osé la faire voyager dans un tram. J'avais dû la traîner et parfois la porter le long des ruelles jusqu'au meublé.

A présent, elle commençait à se calmer.

Je l'observais, et je me sentais assez bas.

J'avais perdu mon boulot chez Rusty, et je m'étais mis en mauvais termes avec Willy Floyd. Tout ce que j'avais retiré de cette soirée, c'était de me coller une droguée sur les bras.

J'aurais dû plier bagage et la plaquer là. Je regrettais de ne pas l'avoir fait; mais j'entendais sans cesse sa voix au timbre argentin, et je savais que Rima pouvait gagner une fortune et que, en vertu de notre contrat, une partie de cette fortune pouvait être à moi.

44

Soudain, elle se mit sur le dos et me regarda fixement.

— Je t'avais averti, dit-elle d'une voix haletante. Maintenant, sors d'ici et fiche-moi la paix.

— D'accord, tu m'avais averti, répliquai-je en appuyant mes bras sur le montant du lit et en soutenant son regard. Mais tu ne m'avais pas dit ce qui clochait. Depuis combien de temps te drogues-tu?

— Trois ans. Je suis intoxiquée jusqu'à l'os.

Elle s'assit sur son lit, et, tirant son mouchoir, elle se tamponna les yeux. Elle avait l'air aussi séduisante qu'une serviette de toilette sale.

— Trois ans? Mais quel âge as-tu?

— Dix-huit ans. En quoi est-ce que ça t'intéresse?

— Tu as commencé à te droguer quand tu avais quinze ans! m'écriai-je, horrifié.

— Oh! ça va, écrase!

— C'est Wilbur qui te refilait la came?

— Qu'est-ce que ça peut te faire?

Elle se moucha et poursuivit :

— Tu veux que je chante? Tu veux que je fasse une carrière sensationnelle? Si c'est ça que tu veux, donne-moi un peu d'argent. Quand j'en ai une bonne dose, je suis du tonnerre. Tu n'as rien entendu jusqu'à présent. Donne-moi un peu d'argent : c'est tout ce que je te demande.

Je m'assis au bord du lit.

— Ne dis pas de bêtises. Je n'ai pas d'argent, et, si j'en avais, je ne t'en donnerais pas. Ecoute-moi bien : avec une voix pareille tu ne peux pas manquer de réussir. Je le sais. J'en suis sûr. Nous allons te faire faire une cure de désintoxication. Quand tu auras perdu l'habitude de la drogue, tu seras en bonne forme et tu gagneras tout le fric que tu voudras.

— Comme nouvelle, ça date un peu! Ça ne marche pas. Donne-moi de l'argent. Cinq dollars, pas plus. Je connais un type...

— Tu vas filer à l'hôpital.

— A l'hôpital? Ils ont des tas de camés comme moi, et, de toute façon, ils n'arrivent pas à te guérir. J'y ai déjà été. Donne-moi cinq dollars. Je chanterai pour toi. Je serai formidable. Donne-moi cinq dollars, sans plus.

Je ne pouvais pas en encaisser davantage. L'expression de ses yeux me rendait malade. J'avais mon compte pour cette nuit.

Je gagnai la porte.

— Où vas-tu? demanda-t-elle.

— Je vais me coucher. Demain, nous en reparlerons. Pour aujourd'hui, ça suffit comme ça.

J'entrai dans ma chambre et fermai la porte à clé.

Je n'arrivai pas à dormir. Peu après deux heures du matin, j'entendis Rima ouvrir sa porte et passer dans le couloir sur la pointe des pieds. Sur le moment, je me dis que ça me serait bien égal qu'elle ait fait ses bagages et se soit débinée. J'en avais vraiment marre d'elle.

Le lendemain, vers dix heures du matin, je me levai, m'habillai, gagnai sa porte, l'ouvris et regardai dans sa chambre.

Elle dormait dans son lit. Un seul coup d'œil sur son visage détendu me fit comprendre qu'elle avait dégotté de la came quelque part. Elle paraissait jolie, avec ses cheveux d'argent étalés sur l'oreiller, maintenant qu'elle n'avait plus cet aspect horrible de tête de mort. Elle s'était débrouillée pour trouver une bonne poire et lui soutirer du fric.

Je refermai la porte, descendis l'escalier, sortis dans la rue ensoleillée et gagnai à pied le bistrot de Rusty.

Rusty eut l'air étonné de me voir.

— J'ai besoin de te parler, lui dis-je. Il s'agit d'une affaire sérieuse.

— C'est bon, dégoise; je t'écoute.

— Cette fille est capable de chanter. Sa voix vaut une fortune. Elle a signé un contrat avec moi. C'est peut-être la grande chance de ma vie, Rusty. Elle pourrait vraiment gagner une fortune.

Il m'observa d'un air intrigué.

— D'accord. Mais alors, qu'est-ce qui cloche? Puisqu'elle pourrait gagner une fortune, pourquoi ne l'a-t-elle pas fait?

— C'est une camée.

Rusty fit une grimace de dégoût.

— Et alors?

— Il faut que je la fasse désintoxiquer. A qui dois-je m'adresser? Qu'est-ce que je dois faire?

— Ce que tu dois faire? Je vais te le dire. (Il m'enfonça au creux de l'estomac son index gros comme une banane.) Débarrasse-toi de cette môme le plus tôt possible. Tu ne peux rien tirer d'une camée, Jeff. Crois-moi, je sais de quoi je parle. Les toubibs prétendent qu'ils peuvent les guérir. D'accord, mais pour combien de temps? Un mois, peut-être deux, peut-être même trois; après ça, les pourvoyeurs les dépistent, leur vendent de la drogue, et ils recommencent à zéro. Ecoute, fiston, je t'aime bien et je m'intéresse à toi. Tu es intelligent et tu as de l'instruction. Tu aurais tort de fréquenter de la racaille. Une fille pareille ne vaut pas la peine qu'on s'occupe d'elle. Je me moque bien qu'elle soit capable de chanter. Débarrasse-t'en. Elle ne te vaudra jamais que des embêtements.

Je regrette de ne pas l'avoir écouté car il avait bien raison. Mais, à ce moment-là, personne n'aurait pu me convaincre. J'étais sûr que sa voix valait une fortune. Je n'avais qu'à la faire soigner, et, après ça, nous roulerions sur l'or.

— A qui dois-je la mener, Rusty? Connais-tu quelqu'un qui pourrait la guérir?

Il se passa la main sous le nez, geste qui révélait son irritation.

— La guérir? Personne ne peut la guérir! Qu'est-ce qui te prend? Tu es cinglé?

Je fis un effort pour rester calme. Cette histoire était très importante pour moi. Si je pouvais la faire désintoxiquer, Rima serait une vraie mine d'or. J'en étais absolument certain.

— Tu as pas mal roulé, Rusty. Tu entends parler de beaucoup de choses. Quel est le type qui s'occupe sérieusement de ces camés? Il doit exister. Le monde du cinéma est bourré de camés. Ils guérissent. Quel est le type qui les traite?

Rusty se frotta la nuque en fronçant les sourcils.

— Bien sûr, mais ces gens-là ont du fric. Une cure coûte des tas d'argent. Il y a bien un type, mais, d'après ce qu'on m'a dit, il est bougrement cher.

— Bon, d'accord, mais je pourrais peut-être emprunter la somme nécessaire. Il faut que je la fasse soigner. Comment s'appelle-t-il?

— Le docteur Klinzi, répondit Rusty.

Puis il ajouta avec un large sourire :

— Tu me fais marrer. Il n'est pas pour des fauchés comme toi, mais c'est le grand patron. Il a guéri Mona Gissing et Frankie Ledder, les deux grandes vedettes des studios Pacific. Ils fumaient de la marijuana, mais il les a remis d'aplomb.

— Où est-ce qu'on peut le trouver?

— Il est sur l'annuaire. Ecoute, Jeff tu es en train de faire l'idiot. Ce type-là coûte les yeux de la tête.

— Je me moque pas mal de ce qu'il coûte, du moment qu'il peut la guérir. Je lui vendrai un morceau de cette fille! Elle va gagner une fortune. Je sens ça jusque dans mes os. Avec une voix pareille, elle ne peut pas louper son truc.

— Tu es cinglé.

— D'accord, mettons que je sois cinglé.

Je relevai l'adresse du docteur Klinzi sur l'annuaire. Il avait une clinique sur le boulevard Beverley Glyn.

Rusty, qui me regardait faire, y alla d'un autre sermon :

— Ecoute-moi, Jeff. Je sais de quoi je te parle. La pire chose qui puisse arriver à quelqu'un, c'est de s'empêtrer avec un camé. On ne peut pas se fier à ces gars-là. Ils sont dangereux. Ils n'ont pas le sens de la responsabilité qu'ont les gens normaux. Leur cerveau ne tourne pas rond. Il faut bien te mettre ça dans la tête. Ils font n'importe quoi sans se préoccuper des dégâts. Débarrasse-toi de cette fille. Elle ne te vaudra que des embêtements. Laisse-la tomber.

— Ecrase, mon vieux. De quoi tu t'inquiètes? Je ne te demande pas une donation.

Je sortis et revins en tram à mon meublé.

Rima était assise dans son lit quand j'entrai dans sa chambre. Elle portait un pyjama noir. Avec ses cheveux d'argent et ses yeux bleu cobalt, elle avait vraiment beaucoup de gueule.

— J'ai faim.

— Je ferai graver ces mots sur ta pierre tombale. Je me moque pas mal que tu aies faim. Qui t'a donné de l'argent pour te faire une piqûre la nuit dernière?

Elle détourna les yeux.

— Je ne me suis pas fait de piqûre. Je crève de faim. Veux-tu me prêter...?

— Oh! la ferme! Est-ce que tu accepteras de faire une cure si je peux me débrouiller pour te faire entrer quelque part?

Son visage prit une expression maussade.

— Je suis trop intoxiquée pour qu'on puisse me guérir. Je le sais. Inutile de parler d'une cure.

— Il y a un type vraiment capable de te tirer d'affaire. Si je peux le persuader de te prendre en charge, est-ce que tu accepteras d'aller chez lui?

— Qui est-ce?

— Le docteur Klinzi. Il soigne toutes les grandes vedettes de cinéma. Je pourrai peut-être l'amener à s'occuper de toi, avec un peu de baratin.

— Tu parles! Ça coûterait moins cher de me donner un peu d'argent. Je n'ai pas besoin de grand-chose.

Je la saisis par les épaules et la secouai. Son haleine sur mon visage me donna la nausée.

— Iras-tu chez lui si je réussis à arranger ça? hurlai-je.

Elle se dégagea d'une secousse.

— Comme tu voudras.

Me sentant sur le point de perdre la tête, je fis un effort pour garder mon calme.

— C'est bon. Je vais aller lui parler. Toi, tu restes là. Je vais demander à Carrie de t'apporter une tasse de café et de quoi manger.

Je la laissai là.

Du haut de l'escalier, je criai à Carrie d'aller chercher un bifteck haché et un café, et de monter le tout à Rima. Puis j'entrai dans ma chambre et mis mon meilleur complet. Il n'était guère fameux et luisait par endroits; mais, quand j'eus lissé mes cheveux et ciré mes souliers, je n'avais pas trop l'air d'un clochard.

Je revins dans la chambre de Rima.

Elle était assise dans son lit, en train de boire son café à petites gorgées. Elle me regarda en plissant son nez.

— Mince alors! Ce que tu es chic!

— T'occupe pas de ça. Chante. Vas-y: chante n'importe quoi, mais chante.

Elle me regarda avec de grands yeux.

— N'importe quoi?

— Oui... chante!

Elle attaqua : *La fumée me pique les yeux*.

La mélodie sortit de ses lèvres sans le moindre effort, comme un ruisseau d'argent. Je la sentis monter le long de mon échine jusqu'à la racine des cheveux. Elle emplit la pièce d'un son clair comme un tintement de cloche. C'était encore mieux que ce que j'avais espéré!

Je restai là à écouter; puis, quand elle eut achevé le refrain, je l'arrêtai :

— C'est bon, c'est bon, dis-je, le cœur battant à tout rompre. Ne bouge pas. Je vais revenir.

Je descendis l'escalier trois marches à la fois.

La clinique du docteur Klinzi se trouvait au milieu d'un grand parc d'agrément, entouré de hauts murs dont le faîte était muni de pointes de fer.

Je remontai la longue avenue. Il me fallut trois ou quatre minutes de marche rapide avant d'apercevoir un bâtiment qui ressemblait à un décor de film représentant le palais de Cosme de Médicis à Florence.

Il se trouvait sur une vaste terrasse à laquelle on accédait par un escalier de quelque cinquante marches. Les fenêtres des chambres du haut étaient garnies de barreaux.

L'ensemble de la maison et du parc avait un air mélancolique et extrêmement tranquille. Même les roses et les bégonias paraissaient déprimés.

A une bonne distance de l'avenue, sous l'ombre des ormes, je voyais plusieurs personnes assises dans des fauteuils roulants. Trois ou quatre infirmières, en blouse d'une blancheur éblouissante, s'agitaient autour d'elles.

Je grimpai l'escalier et sonnai à la porte d'entrée.

Au bout de quelques instants, un type vint ouvrir. Un homme tout gris : cheveux gris, yeux gris, complet gris, manières grises.

Je lui donnai mon nom.

Sans souffler mot, il me fit traverser une étendue de parquet luisant jusqu'à une pièce latérale où une infirmière mince et blonde, assise à un bureau, était fort occupée à écrire.

— M. Gordon, annonça l'homme gris.

Il poussa une chaise contre mes jarrets, de sorte que je m'assis brusquement; puis il sortit de la pièce en refermant la porte derrière lui aussi doucement que si elle avait été faite de verre filé.

L'infirmière posa son stylo et me dit d'une voix

suave, tandis que ses yeux m'adressaient un sourire triste :

— Eh bien! monsieur Gordon, pouvons-nous faire quelque chose pour vous?

— Je l'espère. Je voudrais parler au docteur Klinzi au sujet d'un client éventuel.

— Nous pourrions arranger cela. (Je me rendis compte qu'elle examinait mon complet.) Qui est ce client, monsieur Gordon?

— J'expliquerai toute l'affaire au docteur Klinzi.

— Je crains que le docteur ne soit occupé en ce moment. Mais vous pouvez me faire entièrement confiance. C'est moi qui suis chargée d'accepter ou de refuser les clients.

— Ça doit être fort agréable pour vous, mais il s'agit d'un cas spécial. Je désire parler au docteur Klinzi.

— Pourquoi est-ce un cas spécial, monsieur Gordon?

Je m'aperçus que je ne l'impressionnais pas le moins du monde. Ses yeux ne me souriaient plus avec tristesse : ils exprimaient simplement de l'ennui.

— Je suis imprésario, et une de mes clientes, une chanteuse, représente un capital important. Si je ne traite pas directement avec le docteur Klinzi, il faudra que je m'adresse ailleurs.

Ceci parut éveiller son intérêt. Après une courte hésitation, elle se leva.

— Si vous voulez bien attendre un instant, monsieur Gordon, je vais aller voir.

Elle traversa la pièce, ouvrit la porte et disparut. Après une attente assez longue, elle se montra de nouveau et tint la porte ouverte.

— Voulez-vous entrer?

Je pénétrai dans une immense pièce contenant plusieurs meubles modernes et une table d'opération. Près d'une grande fenêtre, un homme en veste blanche était assis à un bureau.

— Monsieur Gordon?

52

Le ton de sa voix donnait à entendre qu'il était ravi de me voir.

Il se leva. Agé de trente ans au plus, petit de taille, il avait d'abondants cheveux blonds ondulés, des yeux gris ardoise et un air très professionnel.

— C'est exact. Docteur Klinzi, je suppose?

— Parfaitement.

Il me montra un siège d'un geste de la main, puis ajouta :

— Que puis-je faire pour vous, monsieur Gordon?

Je m'assis, et j'attendis que l'infirmière se soit retirée avant de répondre :

— Je suis l'agent d'une chanteuse qui s'adonne à la morphine depuis trois ans. Je veux lui faire faire une cure. Combien cela coûtera-t-il?

Les yeux gris ardoise m'examinèrent sans beaucoup d'espoir.

— Notre tarif pour une cure réussie serait de cinq mille dollars, monsieur Gordon. Nous sommes fort heureusement en mesure de garantir le succès.

Je respirai longuement et lentement :

— Pour une somme pareille, je compterais sur le succès!

Il eut un sourire mélancolique. La maison semblait avoir la spécialité des sourires mélancoliques.

— Cela peut vous paraître cher, monsieur Gordon. Mais nous ne traitons ici que les gens du meilleur monde.

— Combien de temps durerait la cure?

— Cela dépend beaucoup de la malade. Peut-être cinq semaines; mais, s'il s'agit d'un cas rebelle, huit semaines : pas plus.

— Succès garanti?

— Naturellement.

Je ne connaissais personne qui serait assez fou pour me prêter cinq mille dollars, et je ne voyais aucun moyen de me procurer une somme pareille.

Je pris ma voix la plus pateline.

— Votre tarif dépasse un peu mes possibilités, docteur. Cette chanteuse a une voix formidable. Si j'arrive à la faire désintoxiquer, elle gagnera de grosses sommes. Je vous propose d'en prendre une partie. Vingt pour cent de tous ses gains jusqu'à ce que les cinq mille dollars soient couverts, plus trois mille dollars d'intérêts.

Dès que j'eus prononcé ces mots, je compris que j'avais commis une erreur. Son visage perdit soudain toute expression et ses yeux prirent une expression lointaine.

— Je crains que nous ne fassions pas d'affaires de ce genre ici, monsieur Gordon. Nous avons beaucoup de monde. Nous avons toujours exigé et nous exigeons encore d'être payés en espèces : trois mille dollars au moment de l'entrée en clinique, deux mille à la sortie du patient.

— Il s'agit d'un cas très spécial...

Son index bien soigné se déplaça vers un bouton sur son bureau.

— Je regrette. Ce sont nos conditions.

L'index appuya sur le bouton d'un geste caressant.

— Si je peux me procurer cet argent, le succès est vraiment garanti?

— Vous parlez de la cure? Mais bien sûr...

Il était déjà debout lorsque la porte s'ouvrit et l'infirmière entra d'un pas léger. Tous deux m'adressèrent un sourire mélancolique.

— Si votre cliente désire venir chez nous, monsieur Gordon, je vous prie de nous le faire savoir le plus tôt possible. Nous avons beaucoup d'engagements, et il pourrait être difficile, sinon impossible, de lui trouver une place.

— Merci, docteur. Je vais y réfléchir.

Il me tendit sa main blanche et fraîche, comme s'il m'accordait une faveur; après quoi, l'infirmière me reconduisit.

Tout en regagnant mon meublé, je réfléchis à ce qu'il

54

venait de me dire, et, pour la première fois de ma vie, j'éprouvai le besoin pressant d'avoir de l'argent. Mais comment pouvais-je espérer mettre la main sur cinq mille dollars? Pourtant, si je parvenais à me procurer cette somme par miracle, si je parvenais à faire soigner Rima, j'étais absolument certain qu'elle irait loin, et moi avec elle.

Tandis que je marchais, plongé dans mes pensées, je passai devant un grand magasin où on vendait des gramophones et des appareils de radio. Je m'arrêtai pour regarder les enveloppes aux couleurs vives des disques microsillons, en m'imaginant que la photographie de Rima ferait rudement bien sur l'une d'elles.

Un écriteau dans la vitrine attira mon attention :

*Enregistrez votre voix sur bande.*
*Un enregistrement de 3 minutes pour 2 dollars 50.*
*Emportez votre voix chez vous dans votre poche*
*et faites une surprise à vos amis.*

Ça me donna une idée.

Si je pouvais faire enregistrer la voix de Rima, je n'aurais plus à m'inquiéter en me demandant si, lorsque je lui aurais obtenu une audition, elle s'effondrerait comme ça lui était arrivé à *La Rose bleue*. Je pourrais colporter la bande en plusieurs endroits, et je réussirais peut-être à intéresser quelqu'un suffisamment pour qu'il avance l'argent nécessaire à la cure.

Je regagnai mon meublé en vitesse.

Quand j'entrai dans la chambre de Rima, je la trouvai hors de son lit et habillée. Elle fumait, assise à la fenêtre. Elle se tourna vers moi et me lança un regard interrogateur.

— Le docteur Klinzi affirme qu'il peut te guérir, dis-je en m'asseyant sur le lit, mais ça goûte gros. Il demande cinq mille dollars.

Elle plissa le nez, haussa les épaules, puis se retourna pour regarder par la fenêtre.

— Rien n'est impossible, repris-je. J'ai une idée. Nous allons faire enregistrer ta voix. Il se peut très bien que quelqu'un du métier avance l'argent après avoir entendu ce que tu sais faire. Allons-y tout de suite.

— Tu es cinglé. Personne ne t'avancera une somme pareille.

— T'occupe pas de ça : c'est mon boulot. Allons-y.

Chemin faisant, je lui dis :

— Nous allons donner : *Un de ces jours*. Tu connais?

— Oui.

— Aussi fort et aussi vite que tu pourras.

Le vendeur qui nous fit entrer dans le studio d'enregistrement avait l'air méprisant et ennuyé. De toute évidence il nous prenait pour deux cloches qui n'avaient rien de mieux à faire que de gaspiller deux dollars cinquante et de lui faire perdre son temps.

— Nous commencerons par un essai, dis-je en m'asseyant au piano. Vite et fort.

Le vendeur brancha le magnétophone.

— Nous n'avons pas l'habitude de permettre des répétitions, dit-il. Je vais prendre sa voix directement.

— Je veux un essai d'abord. Peut-être que ça n'est pas important pour vous, mais ça l'est pour nous.

Je me mis à jouer, en prenant le tempo un peu plus vite qu'on ne le fait d'habitude. Rima attaqua fort et vite. Je jetai un coup d'œil au vendeur. Abasourdi par les notes claires et argentines, il restait pétrifié sur place, les yeux fixés sur Rima, la bouche ouverte.

Jamais elle n'avait si bien chanté. C'était vraiment extraordinaire.

Après un couplet et un refrain, je la fis taire.

— Vingt dieux! s'exclama le vendeur à voix basse. Je n'ai jamais rien entendu de pareil.

Rima lui jeta un regard indifférent et garda le silence.

— Maintenant, nous allons enregistrer, dis-je. Prêt pour le son?

— Allez-y, dit le vendeur en mettant le bouton sur la position « enregistrement ». Je serai prêt quand vous le serez.

Et il commença à faire courir la bande à travers la tête d'enregistrement.

Rima chanta peut-être un tout petit peu mieux cette fois-là. Bien sûr elle connaissait tous les trucs professionnels, mais ce qui comptait surtout c'était le timbre de sa voix. Les notes jaillissaient de sa gorge, claires comme une cloche d'argent.

Quand l'enregistrement fut terminé, le vendeur nous proposa de nous le faire entendre sur un haut-parleur.

Nous nous assîmes pour écouter.

En mettant le volume au maximum, avec le filtre en service pour supprimer le bruit de fond, sa voix semblait plus ample que nature et produisait un effet formidable. Je n'avais jamais entendu un enregistrement aussi passionnant.

— Fichtre! s'exclama le vendeur en retirant la bande, qu'est-ce que vous avez dans le gosier! Vous devriez faire entendre ça à Al Shireley. Il serait complètement emballé.

— Al Shireley? Qui est-ce? demandai-je.

— Shireley? fit-il d'un air stupéfait. Mais, voyons, c'est le directeur de la Californian Recording Company. C'est le type qui a découvert Joy Miller. L'année dernière, elle a enregistré cinq disques. Vous savez combien elle a ramassé? Un demi-million! Et laissez-moi vous dire qu'elle ne sait pas chanter si on la compare à votre petite amie. Vous pouvez m'en croire! Voilà vingt ans que je suis dans le métier, et je n'ai jamais entendu de chanteuse qui arrive à la cheville de cette gosse. Allez voir Shireley. Il lui fera signer un contrat quand il aura entendu cette bande.

Je le remerciai. Quand je lui tendis les deux dollars cinquante, il les repoussa d'un geste de la main,

— Pas question. Ç'a été pour moi un événement et

un grand plaisir. Allez donc voir Shireley. Je serais bougrement content s'il l'engageait!

Il me serra la main et ajouta :

— Bonne chance. Vous ne pouvez pas manquer de réussir.

J'étais drôlement excité pendant que nous regagnions le meublé à pied en suivant le bord de l'eau. Si Rima chantait mieux que Joy Miller (et ce vendeur devait savoir ce qu'il disait), alors elle pouvait gagner des tas d'argent. Si jamais elle plaisait au public dès la première année et ramassait un demi-million! Dix pour cent sur un demi-million, ça ne me semblait pas négligeable.

Je la regardai marcher à côté de moi. Elle allait d'un air indifférent, les mains enfoncées dans les poches de son pantalon de toile.

— Cet après-midi, je vais aller voir Shireley, dis-je. Peut-être qu'il crachera les cinq mille dollars pour ta cure. Tu as entendu ce que ce type a dit. Tu pourrais devenir une grande vedette de la chanson.

— J'ai faim, déclara-t-elle d'un ton morose. Je ne pourrais pas manger un morceau?

Je m'arrêtai et la fis pivoter sur elle-même de façon que nous soyons face à face.

— Est-ce que tu écoutes quand je te parle? Tu pourrais gagner une fortune avec ta voix. Tout ce qu'il te faut, c'est une cure.

— Tu te bourres le mou, dit-elle en se dégageant d'une secousse. J'ai déjà fait une cure. Ça n'a rien donné. Si on allait casser la croûte?

— Le docteur Klinzi pourrait te guérir. Peut-être que Shireley m'avancera l'argent quand il entendra cet enregistrement.

— Peut-être aussi qu'il va me pousser des ailes et que je vais m'envoler. Personne ne nous prêtera une pareille somme.

Vers trois heures de l'après-midi, j'empruntai la voi-

58

ture de Rusty et me rendis à Hollywood. J'avais la bande magnétique dans ma poche, et j'étais vraiment remonté à bloc.

Je savais que ce serait une erreur fatale de dire à Shireley que Rima était une camée. J'étais certain que, s'il l'apprenait, il ne voudrait d'elle à aucun prix.

Il fallait que je me débrouille pour le persuader de m'avancer cinq mille dollars, et je n'avais aucune idée de la façon dont j'allais m'y prendre. Tout dépendait de sa réaction quand il aurait entendu l'enregistrement. S'il manifestait un grand enthousiasme, peut-être pourrais-je l'amener à cracher.

La Californian Recording Company se trouvait à un jet de pierre des studios Metro Goldwyn Mayer. C'était un bâtiment de deux étages qui couvrait à peu près cinq hectares de terrain. Devant le portail, il y avait le bureau de réception habituel, avec deux gardiens en uniforme, à l'air vachement dur, pour s'occuper des visiteurs indésirables.

Quand je vis l'énormité de la baraque, je me rendis compte des difficultés qui m'attendaient. C'était vraiment la très grosse boîte, et je perdis soudain confiance en songeant à mon complet élimé et à mes souliers fendillés.

L'un des gardiens s'avança vers moi au moment où j'arrivais. Il me regarda de la tête aux pieds, décida que j'étais un personnage insignifiant et me demanda d'une voix de mêlé-cass ce que je désirais.

Je lui répondis que je voulais parler à M. Shireley. Il eut l'air de trouver ça marrant.

— Il y a vingt millions de gens dans votre cas. Vous avez un rendez-vous?

— Non.

— Alors, vous ne le verrez pas.

C'était le moment de bluffer. Je me sentais prêt à tout, même à jurer que mon père était nègre.

— Bon, ça va. Je lui ferai savoir que vous faites bien votre boulot. Il m'a demandé de lui rendre visite quand je passerai dans le coin; mais si vous ne voulez pas me laisser entrer, c'est lui qui le regrettera, et non pas moi.

Son visage changea brusquement d'expression.

— Il a dit ça?

— Bien sûr. Mon père et lui ont fait leurs études ensemble.

Il perdit son expression agressive.

— Quel nom vous m'avez donné, déjà?

— Jeff Gordon.

— Attendez un instant.

Il entra dans le bureau de réception et donna un coup de téléphone. Peu de temps après, il ressortit, ouvrit le portail et me fit signe d'entrer.

— Vous demanderez Mlle Wessen.

Du moins, c'était un pas en avant.

La bouche sèche, le cœur battant à tout rompre, je remontai l'avenue et gagnai le hall aux proportions imposantes où je fus pris en charge par un groom en uniforme bleu ciel aux boutons de cuivre étincelants. Il me conduisit le long d'un couloir bordé des deux côtés par des portes d'acajou luisant et s'arrêta devant l'une d'elles qui portait une plaque de cuivre où on pouvait lire :

*M. Harry Knight et Miss Henrietta Wessen.*

Il ouvrit le battant, puis m'invita à entrer d'un geste de la main.

Je pénétrai dans une vaste pièce décorée en gris tourterelle, où une quinzaine de personnes, semblables à la légion des damnés, étaient assises sur des divans.

Avant que j'aie eu le temps de concentrer mon attention sur elles, je me trouvai en train de fixer des yeux vert émeraude, durs comme du verre et presque aussi dépourvus d'expression.

Ils appartenaient à une fille de vingt-quatre ans, une rouquine pourvue d'une poitrine à la Marilyn Monroe,

60

de hanches à la Brigitte Bardot et d'un coup d'œil à frigorifier un Esquimau.

— Oui?

— M. Shireley, s'il vous plaît?

Elle se tapota les cheveux en me regardant comme une bête curieuse.

— M. Shireley ne reçoit jamais personne. M. Knight est occupé. Tous ces gens (Elle montra d'une main languissante la légion des damnés) l'attendent. Si vous voulez bien me donner votre nom et m'apprendre le but de votre visite, j'essaierai de vous caser à la fin de la semaine.

Je compris que les salades que j'avais racontées au gardien la laisseraient de marbre. Elle était intelligente, avisée, et à l'épreuve des mensonges.

Si je ne réussissais pas à la bluffer, j'étais fichu.

— Une semaine? Ça serait trop tard, répliquai-je d'un ton désinvolte. Si Knight ne peut pas me recevoir immédiatement, il va perdre de l'argent, et M. Shireley ne sera pas content de lui.

Pas fameux, mais c'est tout ce que je pouvais faire.

Du moins, tous les gens présents écoutaient, penchés en avant, immobiles comme des chiens d'arrêt devant un gibier.

S'ils étaient impressionnés, Miss Wessen ne l'était pas le moins du monde. Elle me gratifia d'un petit sourire las.

— Peut-être pourriez-vous rédiger une demande écrite. Si votre affaire intéresse M. Knight, il vous le fera savoir.

A ce moment, la porte s'ouvrit derrière elle et un gros homme un peu chauve frisant la quarantaine, vêtu d'un complet marron en tissu aéré, promena son regard autour de la pièce d'un air hostile et dit : « Au suivant », exactement comme l'infirmière d'un dentiste s'adressant au troupeau des clients.

Je me trouvais tout près de lui. Du coin de l'œil, je vis un grand gaillard se lever péniblement, une guitare à la main. Mais il arriva beaucoup trop tard.

Je m'avançai, puis repoussai le gros homme dans son bureau en lui adressant un large sourire plein de confiance.

— Bonjour, monsieur Knight, lui dis-je. J'ai quelque chose à vous faire écouter, et, quand vous l'aurez entendu, vous voudrez que M. Shireley l'entende à son tour.

A ce moment, j'étais dans la pièce, et j'avais refermé la porte du salon.

Sur son bureau se trouvait un magnétophone. Passant devant lui, j'insérai la bande dans l'appareil que je mis en marche aussitôt.

— Voici un enregistrement qui va vous plaire, débitai-je rapidement d'une voix ferme. Naturellement, ça ne va pas rendre formidablement sur une machine pareille, mais quand vous l'aurez entendu sur un haut-parleur vous en tomberez à la renverse.

Il me regardait, les yeux écarquillés, avec une expression effarée sur son visage gras.

J'appuyai sur le bouton de mise en route : la voix de Rima sortit de l'appareil et le frappa au creux de l'estomac.

Comme je l'observais, je vis les muscles de sa figure se contracter dès que les premières notes emplirent la pièce.

Il écouta la bande jusqu'à la fin, puis, tandis que j'appuyais sur le bouton de récupération, il me demanda :

— Qui est-ce?

— Une de mes clientes. Si on la faisait entendre à M. Shireley, qu'en pensez-vous?

Il me regarda de la tête aux pieds.

— Et qui êtes-vous?

— Je m'appelle Jeff Gordon. J'ai hâte de conclure une affaire. Ou ce sera M. Shireley, ou ce sera la R.C.A.

A vous de choisir. Je suis venu ici d'abord parce qu'il se trouve que la R.C.A. est un peu plus loin.

Mais c'était un trop vieux renard pour se laisser prendre à un bluff pareil. Il sourit et alla s'asseoir à son bureau.

— Ne vous énervez pas comme ça, monsieur Gordon. Je ne vous dis pas que votre cliente chante mal. Elle a une belle voix, mais j'ai entendu mieux. L'affaire pourrait nous intéresser. Amenez-la ici vers la fin de la semaine. Nous lui accorderons une audition.

— Elle n'est pas libre, et elle a passé contrat avec moi.

— Eh bien, amenez-la quand elle sera libre.

— Mon intention était de passer contrat avec vous immédiatement. Si vous ne voulez pas d'elle, je tenterai ma chance à la R.C.A.

— Je n'ai pas dit que je ne voulais pas d'elle. J'ai dit que je voulais l'entendre en personne.

— Je regrette. (J'essayais de prendre le ton tranchant d'un homme d'affaires, mais je me rendais compte que je m'en tirais assez mal.) En fait, sa santé laisse à désirer. Elle a besoin d'être remontée. Si vous n'en voulez pas, dites-le, et je m'en irai d'ici.

A ce moment, la porte s'ouvrit à l'autre extrémité de la pièce, et un petit monsieur aux cheveux blancs entra d'un pas nonchalant.

Knight se leva vivement.

— Je n'en ai que pour un instant, monsieur Shireley...

L'occasion était trop belle, et je ne la ratai pas. J'appuyai sur le bouton de reproduction, et mis le volume au maximum.

La voix de Rima emplit la pièce.

Knight voulut arrêter l'appareil, mais Shireley lui fit signe de s'écarter. Pendant qu'il écoutait, la tête inclinée de côté, ses petits yeux noirs allaient sans cesse de moi à Knight, et de Knight au magnétophone.

Quand la bande fut terminée et que j'eus arrêté la machine, il déclara d'une voix calme :

— Absolument remarquable. Qui est-ce?

— Une parfaite inconnue. Son nom ne vous dirait rien. Je voudrais un contrat pour elle.

— Je vous en donnerai un. Amenez-la ici demain matin. Elle pourrait devenir un élément très important.

Il se dirigea vers la porte.

— Monsieur Shireley...

Il s'arrêta pour regarder par-dessus son épaule.

— Cette fille n'est pas en très bonne santé, dis-je en essayant de garder un ton ferme. J'ai besoin de cinq mille dollars pour la remettre sur pied. Quand elle sera en bonne forme, elle chantera encore mieux que ce que vous avez entendu. Je vous le garantis. Elle pourrait être la découverte la plus sensationnelle de l'année, mais il faut lui refaire une santé. Est-ce que sa voix, telle qu'elle est, vous paraît assez bonne pour risquer une avance de cinq mille dollars?

Il me regarda fixement, et ses petits yeux devinrent vitreux.

— Qu'a-t-elle donc?

— Rien qu'un bon médecin ne puisse guérir.

— Vous avez bien dit cinq mille dollars?

— Elle a besoin d'un traitement spécial, répondis-je, tandis que la sueur me coulait le long des joues.

— A la clinique du docteur Klinzi?

Je jugeai inutile de mentir, car il n'était pas homme à se laisser prendre à des mensonges.

— Oui.

Il fit un signe de tête négatif.

— Ça ne m'intéresse pas. Si elle était en bonne forme et prête à se mettre au travail, je serais tout à fait d'accord et je vous consentirais un très bon contrat. Mais quelqu'un qui doit se faire soigner par le docteur Klinzi avant de pouvoir chanter ne m'intéresse absolument pas.

Il sortit et referma la porte derrière lui.

64

Je retirai la bande du magnétophone, la remis dans sa boîte et laissai tomber la boîte dans ma poche.

— Et voilà, dit Knight d'un air gêné. Vous avez mal joué. Le vieux a horreur des camées. Sa propre fille se drogue.

— Si j'arrive à la faire guérir, croyez-vous qu'il s'intéresserait à elle?

— Sans aucun doute, mais il faudrait qu'il soit bien sûr de sa guérison.

Il ouvrit la porte et me fit sortir.


## CHAPITRE IV

I

Quand j'arrivai enfin au meublé, Rima était sortie. J'entrai dans ma chambre et me couchai sur mon lit, complètement désorienté.

Il y avait des années que je ne m'étais pas senti si bas. Des studios de la Californian Recording Company, j'avais gagné en tram la R.C.A. Là on avait admiré la voix de Rima; mais dès que j'avais commencé à parler d'une avance de cinq mille dollars, on m'avait fait sortir si vite que je n'avais pas eu la moindre chance de discuter le coup.

J'avais aussi rendu visite à deux des agents les plus importants de la ville; mais quand ils avaient appris que Rima avait signé contrat avec moi, ils m'avaient vidé d'une telle façon que les oreilles m'en tintaient encore...

Je me sentais d'autant plus déprimé que Rima était sortie. Elle savait que j'étais allé voir Shireley, et pourtant elle ne s'était pas donné la peine d'attendre dans sa chambre pour connaître le résultat de l'entrevue. Elle avait eu la certitude que ça ne donnerait rien. Une amère expérience lui avait déjà enseigné que tous les efforts pour la caser quelque part étaient une perte de temps pure et simple. Cette idée me flanquait le noir.

Il me fallait maintenant affronter le problème de ce que j'allais faire.

J'étais sans travail, et il me restait à peine assez d'argent pour arriver à la fin de la semaine. Je n'avais même pas de quoi revenir au pays.

Bien que je n'en eusse pas la moindre envie, je finis par décider que j'allais rentrer chez moi. Je savais que mon père serait assez compréhensif pour ne pas me jeter mon échec à la figure. Il faudrait que j'amène Rusty à me prêter le prix du voyage, et que je persuade mon père de le rembourser.

J'étais tellement déçu et déprimé que j'avais envie de me cogner la tête contre le mur.

Cinq mille dollars!

Si je réussissais à faire guérir Rima, je savais qu'elle aurait un succès fou. En un an, elle pourrait ramasser un demi-million, ce qui me mettrait cinquante mille dollars en poche : ça vaudrait tout de même mieux que de rentrer honteusement à la maison et d'être obligé de dire à mon père que j'avais fait un four.

Je restai couché sur mon lit à rouler tout ça dans ma tête jusqu'à la tombée du jour. Puis, au moment où j'avais résolu de descendre et d'aller baratiner Rusty pour lui emprunter le prix du voyage, j'entendis Rima monter l'escalier et entrer dans sa chambre.

J'attendis.

Au bout d'un instant, elle vint chez moi, se planta au pied de mon lit et me regarda fixement.

— Bonsoir, dit-elle.

Je restai muet.

— Si on allait casser la croûte? Tu as de l'argent?

— Ça ne t'intéresse pas de savoir ce qu'a dit Shireley?

Elle bâilla en se frottant les yeux.

— Shireley?

— Oui. Le directeur de la Californian Recording Company. Je suis allé le voir cet après-midi à ton sujet, tu t'en souviens?

Elle haussa les épaules d'un geste indifférent.

— Je ne veux pas savoir ce qu'il a dit. Ils disent tous la même chose. Allons manger quelque part.

— Il a dit que si tu suivais une cure de désintoxication, il ferait ta fortune.

— Et après? Tu as de l'argent?

Je me levai, allai me placer devant la glace fixée au mur et me peignai les cheveux. Si je n'avais pas fait quelque chose de mes mains, je lui aurais cogné dessus.

— Non, je n'ai pas d'argent, et nous n'allons pas manger quelque part. Fous le camp! Ta vue suffit à me soulever l'estomac.

Elle s'assit au bord du lit, passa une main sous sa chemise, puis commença à se gratter les côtes.

— J'ai un peu d'argent, dit-elle. Je t'invite à dîner. Je ne suis pas radine comme toi. Nous prendrons des spaghetti et du veau.

Je me retournai pour la regarder.

— Tu as de l'argent? D'où l'as-tu sorti?

— Des studios Pacific. J'ai reçu un coup de téléphone juste après ton départ. J'ai fait trois heures de figuration dans une scène de foule.

— Je parie que tu mens. Je parie que tu as entraîné un vieux birbe dans une ruelle sombre.

Elle eut un petit rire.

— Non, c'était bien de la figuration. Et j'ai autre chose à te dire : je sais où nous pouvons nous procurer ces cinq mille dollars qui te travaillent tellement.

Je posai mon peigne et la regardai bien en face.

— Qu'est-ce que c'est que cette foutue salade?

Elle examinait ses mains sales aux ongles noirs.

— Les cinq mille dollars pour ma cure.

— Et alors?

— Je sais où les prendre.

Je respirai longuement.

— Il y a des fois où je voudrais te taper dessus, lui dis-je. Tu m'exaspères tellement que, un de ces jours, je te flanquerai une fessée à te faire gueuler: «A l'assassin! »

De nouveau, elle eut un petit rire.

— Je sais où les prendre, répéta-t-elle.

— C'est épatant. Où ça?

— Larry Lowenstien m'a rencardée.

J'enfonçai mes mains dans les poches de mon pantalon.

— Fais pas ta roublarde, pauvre andouille! Qui c'est, Larry Lowenstien?

— Un copain à moi.

Elle se renversa sur les coudes, faisant saillir sa poitrine pour me séduire. Elle avait l'air aussi excitante qu'une assiettée de soupe tiède.

— Il travaille pour le chef de la figuration. Il m'a raconté qu'on gardait toujours plus de dix mille dollars dans le bureau du personnel. Ils sont obligés d'avoir cette somme en liquide pour payer les figurants. La serrure de la porte ne compte pas.

J'allumai une cigarette: mes mains s'étaient mises à trembler.

— Qu'est-ce que ça peut me foutre de savoir quelle somme il y a dans ce bureau?

— J'ai pensé que nous pourrions y entrer et nous servir.

— Venant de toi, c'est une idée lumineuse. Mais qu'est-ce qui te fait croire qu'ils seraient d'accord pour nous laisser faucher le fric? Personne ne t'a jamais dit que prendre l'argent d'autrui c'est voler?

Elle plissa son nez et haussa les épaules.

— C'est une idée qui m'est venue comme ça. Si ça te produit cet effet, n'y pense plus.

— Merci du conseil. C'est exactement ce que je vais faire.

— C'est bon, comme tu voudras. Moi, je croyais que tu crevais d'envie de te procurer cet argent.

— C'est exact, mais pas comme ça.

Elle se leva.

— Allons casser la croûte.

— Vas-y toute seule. Moi, j'ai à faire.

Elle gagna la porte à pas lents.

— Allez, viens! Je ne suis pas radine. Je paierai pour toi. Tu n'es pas trop fier pour manger à mes frais, j'espère?

— Ça n'est pas la question. J'ai autre chose à faire : il faut que j'aille parler à Rusty et lui emprunter le prix de mon billet de retour au pays. Je plaque tout.

Elle me regarda avec de grands yeux.

— Pourquoi veux-tu faire ça?

— Je n'ai pas de boulot, expliquai-je d'un ton patient. Comme je ne peux pas vivre de l'air du temps, je rentre chez moi.

— Tu peux trouver du travail aux studios Pacific. Demain il y a une grande scène de masse. Ils ont besoin de monde.

— Vrai? Dans ce cas, comment est-ce que je dois m'y prendre pour dégotter cet emploi?

— Je m'en charge. Accompagne-moi et ils te donneront quelque chose à faire. Pour l'instant, allons dîner : je crève de faim.

Je la suivis parce que j'avais le ventre vide et que j'en avais marre de discuter avec elle.

Nous allâmes à un petit restaurant italien où on nous servit d'excellents spaghetti et de minces tranches de veau frites au beurre.

Au milieu du repas, elle me demanda :

— Shireley t'a vraiment dit que je savais chanter?

— Parfaitement. Il m'a dit que, quand tu serais guérie et en pleine forme, il te ferait signer un contrat.

Elle repoussa son assiette et alluma une cigarette.

— Ça serait facile de prendre ce fric; une vraie partie de plaisir.

— Jamais je ne ferais un truc pareil, ni pour toi ni pour une autre!

— Je croyais que tu voulais que je fasse une cure...

— Oh! la ferme! Va te faire foutre avec ta cure!

Un client mit une pièce de monnaie dans l'appareil à disques. Joy Miller commença à chanter : *Un de ces jours.* Nous écoutâmes attentivement. La voix était forte, cuivrée, et détonnait assez souvent. La bande que j'avais dans ma poche valait dix fois mieux que ce disque.

— Un demi-million en un an, dit Rima d'un ton rêveur. Pourtant, elle n'est pas tellement sensass, qu'en penses-tu?

— Non, mais elle est beaucoup plus sensass que toi. Elle n'a pas besoin d'une cure. Fichons le camp d'ici. Je vais me pieuter.

Une fois de retour au meublé, Rima m'accompagna jusqu'à ma chambre.

— Tu peux coucher avec moi cette nuit si tu veux, dit-elle. J'en ai envie.

— Moi pas, répliquai-je en lui fermant la porte au nez.

Une fois couché, dans le noir, je songeai à ce qu'elle m'avait raconté au sujet de tout cet argent dans le bureau du personnel. Je ne cessais pas de me répéter qu'il fallait me sortir de la tête l'idée de le voler : j'étais tombé bien bas, mais pas si bas que ça. Pourtant, l'idée du vol n'arrêtait pas de m'asticoter. Si je pouvais arriver à la faire guérir... L'idée me trottait encore dans la cervelle lorsque je m'endormis.

Le lendemain matin, peu après huit heures, nous prîmes l'autobus pour Hollywood. Une foule de gens était en train de franchir la porte principale des studios Pacific, et nous suivîmes le flot.

— Nous avons tout le temps, dit Rima. On ne commencera pas à tourner avant dix heures. Viens avec moi. Je vais demander à Larry de t'inscrire.

Je la suivis.

A quelque distance du studio principal se trouvaient plusieurs bâtisses du genre bungalow. Devant l'une d'elles se tenait un grand type maigre, vêtu d'un pantalon de velours à côtes et d'une chemise bleue.

Il me débecta aussitôt que je le vis. Son visage blême et bouffi était mal rasé; ses yeux très rapprochés exprimaient la ruse. Il avait tout du maquereau prêt à se mettre en chasse.

Il accueillit Rima d'un sourire moqueur.

— Bonjour, poupée, tu viens gagner ton pain quotidien? lui demanda-t-il.

Puis, regardant de mon côté, il ajouta :

— Qui est ce gars-là?

— Un copain. Est-ce qu'il peut faire partie de la foule, Larry?

— Pourquoi pas? Plus on est de fous, plus on rit. Comment s'appelle-t-il?

— Jeff Gordon.

— Ça va, je vais l'inscrire... Quant à toi, mon pote, va-t'en au studio numéro trois. Tu suis l'avenue, et c'est le deuxième à droite.

— Va m'attendre là-bas, me dit Rima. Je veux parler à Larry.

— Elles veulent toutes me parler, fit Lowenstien en m'adressant un clin d'œil.

Je m'en allai le long de l'avenue. A mi-chemin, je me retournai. Rima entrait dans le bureau avec Lowenstien. Il la tenait par les épaules et se penchait tout près de son visage.

Je restai à attendre sous le soleil brûlant. Peu de temps après, Rima me rejoignit.

— J'étais en train de regarder la serrure de la porte : c'est trois fois rien. La serrure du tiroir où se trouve l'argent me paraît assez vache à ouvrir, mais, avec un peu de temps, je pourrais y arriver.

Je gardai le silence.

— On pourrait faire le coup ce soir. C'est facile de se perdre dans cette baraque. Je connais un coin où nous cacher. Il nous faudrait passer la nuit ici et sortir demain matin. Ce serait facile.

J'hésitai pendant une demi-seconde au plus. Si je ne prenais pas ce risque, je savais que je n'aboutirais à rien, que je devrais rentrer chez moi et m'avouer battu. Quand Rima serait guérie, nous roulerions sur l'or, elle et moi.

A ce moment-là, je n'avais plus qu'une seule idée en tête : ce que représenterait pour moi dix pour cent d'un demi-million de dollars.

— C'est bon, dis-je. Si tu dois le faire, je le ferai avec toi.


## II


Nous étions étendus côte à côte dans le noir, sous la grande scène du studio numéro trois. Il y avait trois heures que nous occupions cette position, écoutant le bruit des pas au-dessus de nous, les cris des techniciens qui préparaient le nouveau décor pour la séance du lendemain, la voix furieuse du metteur en scène en train de les engueuler parce qu'ils ne faisaient pas ce qu'il leur commandait et faisaient ce qu'il leur interdisait.

Pendant tout le matin et tout l'après-midi, nous avions tourné jusqu'au crépuscule avec trois cents autres figurants (cette légion de damnés qui s'accrochent à Hollywood dans l'espoir que quelqu'un les remarquera un jour et en fera des vedettes), et nous avions sué avec eux, et nous les avions détestés cordialement.

Nous avions fait partie d'une foule qui était censée assister à un match de championnat de boxe. Nous nous étions levés en hurlant, au signal du metteur en scène. Nous étions restés assis à pousser des huées. Nous nous étions penchés en avant, le visage empreint d'horreur. Nous avions crié des insultes moqueuses, puis, à la fin, nous avions applaudi frénétiquement lorsque, sur le ring, le gosse pâle et maigre qui semblait incapable de crever un cerceau de papier d'un coup de poing, avait fait tomber le champion à genoux, en l'obligeant à abandonner.

Nous avions recommencé tout ça je ne sais combien de fois, de onze heures du matin à sept heures du soir, et jamais de ma vie je n'avais fourni une aussi dure journée de travail.

Finalement, le metteur en scène nous avait congédiés en braillant dans le haut-parleur :

— Ça suffit, les gars. Soyez ici demain matin à neuf heures précises, frusqués de la même façon.

Alors, Rima avait posé sa main sur mon bras.

— Reste près de moi, et, quand je te ferai signe, grouille-toi.

Nous nous étions mis à avancer lentement, tout à fait en queue de la longue file des figurants trempés de sueur. Mon cœur cognait à grands coups, mais je refusais de penser à ce qui m'attendait.

— Par ici, avait dit Rima, en me donnant une légère poussée.

Nous avions enfilé une allée conduisant à la porte de derrière du studio numéro trois.

Ç'avait été facile de nous glisser sous la scène. Pendant trois heures, nous étions restés sans bouger, muets comme des carpes, craignant d'être découverts. Mais, vers dix heures, les techniciens quittèrent leur chantier, et nous restâmes seuls dans le studio.

Nous avions terriblement envie de fumer, et nous allumâmes une cigarette. A la faible clarté de la flamme de l'allumette, je vis Rima, les yeux étincelants, étendue contre moi dans la poussière. Elle me fit une grimace en plissant le nez.

— Ça va très bien marcher. Dans une demi-heure nous pourrons y aller.

C'est alors que je commençai à avoir sérieusement la frousse.

Je me dis que je devais être cinglé pour me laisser entraîner dans une histoire pareille. Si jamais je me faisais prendre...

**73**

— Ce Lowenstien, demandai-je pour me changer les idées, qu'est-ce qu'il est pour toi?

Je la sentis bouger nerveusement et devinai que j'avais touché un point sensible.

— Mais... rien du tout.

— Tu parles! Comment as-tu fait la connaissance d'un pareil fumier? Il ressemble à ton copain Wilbur.

— Dis donc, tu n'as pas besoin de la ramener, toi, avec ta figure balafrée! Pour qui tu te prends?

Je lui flanquai un bon coup de poing sur la cuisse.

— Tais ta gueule au sujet de ma figure!

— Alors, tais ta gueule au sujet de mes amis!

Soudain, une idée me vint à l'esprit :

— Bien sûr..., c'est lui qui te fournit la came! Ce mec-là a tout du trafiquant.

— Tu me fais mal!

— Il y a des fois où je t'étranglerais avec plaisir. C'est lui qui t'approvisionne, pas vrai?

— Et après? Il faut bien que je me procure la drogue par quelqu'un, non?

— Je suis vraiment cinglé de continuer à fréquenter une fille de ton espèce!

— Tu me détestes, hein?

— Ça n'a rien à voir...

— Tu es le premier type qui a refusé de coucher avec moi, dit-elle d'un ton plein d'amertume.

La seule idée de toucher sa peau me donna la nausée.

— Les femmes ne m'intéressent pas.

— Alors tu es dans la mouscaille autant que moi; seulement, tu n'as pas l'air de t'en rendre compte.

— Oh! va te faire foutre!

J'étais furieux contre elle, mais je savais qu'elle avait raison. Je n'avais pas cessé d'être dans la pestouille depuis ma sortie de l'hôpital, et, par-dessus le marché, j'avais fini par m'y plaire.

— A présent, je vais te dire quelque chose, poursuivit-elle d'une voix douce. Moi, je te déteste. Je sais que tu veux mon bien, je sais que tu pourrais me sauver; mais, malgré ça, je te déteste. Je n'oublierai jamais la façon dont tu m'as traitée quand tu m'as menacée de la police. Fais gaffe, Jeff. Je te revaudrai ça, même si nous devenons associés.

— Essaie de me jouer un sale tour, dis-je en lançant un regard furieux dans sa direction, et je te flanque une dérouillée. C'est ça qu'il te faut : une vache dérouillée.

Soudain, elle eut un petit rire.

— C'est possible. Wilbur me rossait de temps en temps. J'aimais ça.

Je m'écartai dans le noir. Rima était si corrompue, si ignoble, que ça m'écœurait de me sentir à côté d'elle.

— Quelle heure est-il? demanda-t-elle.

Je regardai les aiguilles de ma montre.

— Dix heures et demie.

— Allons-y.

Mon cœur se mit à cogner.

— Est-ce qu'il y a des gardiens ici?

— Des gardiens? Pour quoi faire?

Déjà elle s'éloignait de moi en rampant, et je la suivis. Quelques instants plus tard, nous nous trouvions tous les deux debout dans le noir, près de la sortie du studio. Nous nous arrêtâmes pour écouter.

Il n'y avait pas un bruit.

— Je passe devant, dit-elle. Reste près de moi.

Nous sortîmes dans la nuit sombre et chaude. Il y avait des étoiles dans le ciel, mais la lune ne s'était pas encore levée. C'est à peine si je distinguais Rima, immobile, en train de regarder, comme moi, dans l'obscurité.

— Tu as la frousse? demanda-t-elle en s'approchant de moi.

Le contact de son corps mince et brûlant me faisait horreur, mais j'avais le dos appuyé contre le mur du studio et je ne pouvais pas m'écarter d'elle.

— Moi, non, poursuivit-elle. Ce genre de boulot ne me fait jamais peur, mais je crois que tu as la frousse.

— Bon, c'est vrai, j'ai la frousse, répliquai-je en la reposant. Et à présent, tu es contente?

— Tu n'as pas besoin d'avoir peur. On ne peut rien te faire de pire que ce que tu t'es déjà fait à toi-même. C'est ce que je ne cesse jamais de me répéter.

— Tu es cinglée! Qu'est-ce qui te prend? En voilà des salades!

— Amène-toi. On va prendre le fric. Ça sera facile.

Elle s'éloigna dans le noir, et je la suivis.

Toute la journée, elle avait porté un sac en bandoulière. Quand elle s'arrêta devant le bungalow du chef de la figuration, je l'entendis ouvrir la fermeture éclair.

J'étais debout près d'elle, l'oreille au guet, à compter les pulsations violentes de mon cœur, à sentir mon sang battre dans mes veines, complètement abruti de terreur.

Elle se mit à tripoter la serrure. Elle devait être très habile, car, au bout de quelques secondes, le pêne claqua en revenant en arrière.

Ensemble, nous entrâmes dans le bureau sombre. Nous nous arrêtâmes pour habituer nos yeux à la faible clarté des étoiles que nous pouvions voir à travers la fenêtre sans rideaux. Bientôt, nous pûmes distinguer les contours de la table de travail à l'autre bout de la pièce.

Nous y allâmes, et Rima s'agenouilla à côté du meuble.

— Fais le guet, me dit-elle. Je n'en aurai sans doute pas pour longtemps.

A présent, je tremblais de peur.

— Je ne veux pas continuer ce boulot, déclarai-je. Foutons le camp!

— Te dégonfle pas! s'exclama-t-elle d'un ton sec. Ça n'est pas maintenant que je vais abandonner.

Il y eut une brusque clarté lorsqu'elle dirigea le faisceau lumineux d'une lampe électrique sur la serrure du tiroir. Puis elle s'assit sur le plancher et se mit à fredonner très doucement.

Le cœur battant à tout rompre, je restai sur place,

écoutant le grincement à peine perceptible de son outil dans la serrure.

— Ça n'est pas commode, dit-elle, mais je vais l'avoir dans un instant.

Elle se trompait dans ses prévisions. Les minutes passèrent. Le grincement commençait à me porter sur les nerfs. Rima avait cessé de fredonner, et je l'entendais jurer à voix basse.

— Que se passe-t-il? demandai-je en m'écartant de la fenêtre pour aller la regarder par-dessus le bureau.

— Elle est duraille, mais je l'aurai, fit-elle d'un ton calme. Fiche-moi la paix. Laisse-moi me concentrer.

— Foutons le camp d'ici!

— Oh! ça va! T'énerve pas!

Je revins vers la fenêtre. Aussitôt mon cœur bondit dans ma poitrine et j'eus le souffle coupé.

La tête et les épaules d'un homme en train de regarder dans la pièce se détachaient sur l'écran des ténèbres éclairées par les étoiles.

J'ignorais s'il pouvait me voir. Il faisait noir dans le bureau, mais j'avais l'impression qu'il tenait les yeux fixés sur moi.

Ses épaules paraissaient énormes, et il portait sur la tête une casquette plate à visière dont la vue me glaça le sang.

— Il y a quelqu'un dehors, dis-je.

Mais ces mots n'allèrent pas au-delà de mes lèvres desséchées.

— Je l'ai eue! s'exclama Rima.

— Il y a quelqu'un dehors!

— Ça y est : je l'ai ouverte!

— Tu ne m'as pas entendu? Je te dis qu'il y a quelqu'un dehors!

— Cache-toi!

Je promenai un regard égaré autour de la pièce obscure. Une sueur glacée ruisselait sur mon visage. Au moment où je m'apprêtais à traverser le bureau, la porte

s'ouvrit violemment, et j'entendis le déclic de l'inter-
rupteur.

Le choc de la lumière dure, éblouissante, me fit
l'effet d'un coup sur la tête.

— Un seul geste, et je te descends!

Une voix de flic, sèche, coupante, pleine d'assurance.
Je regardai dans sa direction.

Il se tenait dans l'encadrement de la porte ouverte,
sa main brune et musclée braquant sur moi un 45.
Il était flic de la tête aux pieds : grand et fort, large
d'épaules, terrifiant.

— Qu'est-ce que tu fous là?

Lentement, je levai mes mains tremblantes. J'avais
l'horrible impression qu'il allait tirer sur moi.

— Je... je... je...

— Garde tes mains en l'air!

Il ignorait que Rima était blottie derrière le bureau.
Je ne songeais plus qu'à la couvrir en sortant de la pièce
avant qu'il se soit aperçu de sa présence.

Je réussis tant bien que mal à maîtriser mes nerfs.

— Je me suis perdu, dis-je. Je m'apprêtais à dormir
ici.

— Ouais? Tu vas dormir dans un endroit où tu seras
bien plus à l'abri. Arrive. Marche lentement et garde
tes mains en l'air.

Je me dirigeai vers lui.

— Halte! s'écria-t-il, les yeux fixés sur le bureau. Tu
as essayé de fracturer le tiroir?

— Non... je vous ai dit...

— Recule jusqu'au mur! Magne-toi!

J'allai me coller le dos au mur.

— Demi-tour!

Je fis face au mur.

Pendant un long moment, il y eut un silence complet.
Mes oreilles ne percevaient pas d'autre bruit que les
pulsations brutales de mon cœur.

Soudain retentit le violent fracas d'un coup de
revolver.

78

Je me recroquevillai sur moi-même au bruit de la détonation qui me parut formidable. Ensuite, je regardai par-dessus mon épaule, croyant que le gardien avait découvert Rima et l'avait tuée.

Il se trouvait près du bureau, plié en deux. Sa casquette impeccable était tombée, laissant voir une marque de calvitie sur le derrière de son crâne. Il appuyait ses deux mains gantées sur son ventre. Son revolver gisait sur le plancher.

Entre les doigts de ses gants à crispin le sang commença à filtrer. Puis il y eut une autre détonation. Je vis l'éclair du coup de feu jaillir derrière le bureau.

Le gardien poussa un gémissement étouffé, comme un boxeur qui vient d'encaisser un coup de nature à le mettre définitivement hors de combat. Après quoi, lentement, il tomba sur le plancher où il resta étendu de tout son long.

Je demeurai sur place, les yeux dilatés d'horreur, les mains toujours en l'air, prêt à vomir.

Rima se releva derrière le bureau, tenant à la main un calibre 38 encore fumant. Elle jeta sur le gardien un coup d'œil indifférent. Elle n'avait même pas blêmi.

— Il n'y a pas un sou, dit-elle d'un ton furieux. Le tiroir est vide.

C'est à peine si j'entendis ces mots.

Je regardais fixement le gardien, observant le mince filet de sang qui coulait de son corps et sinuait sur le parquet ciré.

— Fichons le camp d'ici!

Le ton pressant de sa voix sèche me rendit l'usage de mes sens.

— Tu l'as tué!

— Il m'aurait descendue, non? répliqua-t-elle en me lançant un coup d'œil glacial. Arrive, idiot? Quelqu'un a dû entendre les coups de feu.

Elle se mit en marche pour traverser la pièce, mais je la saisis par le bras et lui fis faire demi-tour.

— Où as-tu pris ce revolver?

Elle se dégagea d'un mouvement brusque.

— Allez, grouille-toi! Les gens vont arriver d'un moment à l'autre!

Ses yeux étincelants, au regard froid, m'emplissaient d'horreur.

A ce moment, j'entendis une sirène commencer à hurler au-dehors, dans les ténèbres. Son gémissement lugubre me glaça le sang dans les veines.

— Grouille-toi, bon Dieu!

Elle sortit en courant dans l'obscurité et je la suivis. Des lumières s'allumaient partout dans les studios. Des voix d'hommes criaient.

Je sentis la main de Rima sur mon bras tandis qu'elle me poussait dans une allée sombre. Nous courûmes à l'aveuglette pendant que la sirène continuait à gémir dans la nuit.

— Ici!

Elle m'attira dans une entrée obscure. L'espace d'un instant, sa lampe dessina une flaque de lumière, puis s'éteignit. Elle me fit m'accroupir derrière une grande caisse en bois.

Nous entendîmes des pas lourds et pressés passer devant nous, tandis que des hommes s'interpellaient à haute voix. Quelqu'un tira d'un sifflet des notes aiguës qui me mirent les nerfs à vif.

— Arrive!

Sans elle, jamais je ne me serais tiré de là. Elle gardait un sang-froid et un calme terrifiants. Elle me dirigeait à travers les allées sombres. Elle semblait savoir quand nous risquions de nous trouver en danger et quand nous pouvions progresser sans crainte.

A mesure que nous passions en courant devant les constructions interminables des studios, les coups de sifflet et les voix d'hommes devenaient de plus en plus faibles. Finalement, hors d'haleine, nous fîmes halte à l'ombre d'un bâtiment pour écouter.

A présent, le silence n'était rompu que par le ululement persistant de la sirène.

— Il faut nous barrer d'ici avant l'arrivée des flics, dit Rima.

— Tu l'as tué!

— Oh! ta gueule! Nous pouvons passer par-dessus le mur au bout de cette allée.

Je la suivis jusqu'à un mur de trois mètres de haut devant lequel nous nous arrêtâmes pour l'examiner.

— Aide-moi à monter.

Je lui pris le pied dans mes deux mains et la soulevai. Elle se mit à califourchon sur le mur, en se courbant très bas, puis jeta un regard vers moi dans les ténèbres.

— Ça gaze. Tu peux monter?

Je reculai, courus vers le mur, sautai et empoignai le faîte. J'assurai ma prise, restai suspendu un moment, puis me soulevai à bout de bras. Ensuite, nous nous laissâmes tomber sur le chemin non asphalté qui longeait le studio.

Nous gagnâmes rapidement la grand-route le long de laquelle était stationnée une longue file de voitures dont les propriétaires se trouvaient dans une boîte de nuit, de l'autre côté de la chaussée.

— Il devrait y avoir un autobus dans cinq minutes, dit Rima.

J'entendis s'approcher le hurlement d'une sirène de police.

Rima me saisit par le bras et me poussa vers une Ford Skyliner.

— Entre... vite!

Je me glissai dans la voiture, et elle me suivit.

A peine avait-elle refermé la portière que deux voitures de police passèrent près de nous, fonçant à toute allure vers l'entrée principale des studios.

— Nous allons attendre ici, dit Rima. Il va en venir d'autres. Il ne faut pas qu'ils nous voient sur la route.

Je brûlais de désir de m'en aller, mais je fus obligé de reconnaître qu'elle avait raison.

— Ce cochon de Larry! s'exclama-t-elle d'un ton écœuré. J'aurais dû me douter qu'il comprenait tout de

81

travers. Ils doivent deposer leur fric à la banque ou le mettre dans un coffre-fort quand ils ferment la boîte.

— Est-ce que tu te rends compte que tu as tue un homme et qu'on peut nous envoyer à la chambre à gaz? Salope! Tu es complètement cinglée! Ce que je regrette de m'être embringue avec toi!

— J'étais en état de légitime défense, repliqua-t-elle d'un ton irrité. J'ai été forcée de le descendre!

— C'est faux! Tu l'as tué de sang-froid. Tu as tiré sur lui deux fois!

— J'aurais été idiote de le laisser tirer sur moi, non? Il avait un revolver à la main. C'est un cas de légitime défense!

— C'est un meurtre!

— Oh! ta gueule!

— Je ne veux plus rien avoir à faire avec toi! Je ne veux plus te voir de ma vie!

— Tu as les jetons! Tu voulais cet argent autant que moi! Et maintenant que la combine a foiré...

— Un meurtre, tu appelles ça une combine qui a foiré?

— Oh! ça va, t'énerve pas!

Je restai immobile, les mains agrippées au volant. J'étais frappé de panique. Je me disais qu'il fallait que je sois devenu fou pour m'embringuer avec une créature pareille. Si j'arrivais à m'en tirer, je rentrerais chez moi et je reprendrais mes études. Je ne commettrais jamais plus un acte répréhensible jusqu'à la fin de mes jours.

D'autres sirènes retentirent. Une autre voiture de police bourrée de poulets en civil passa près de nous, suivie, peu de temps après, par une ambulance.

— C'est la fin du défilé, dit Rima. Barrons-nous.

Elle sortit de la Ford, et je la suivis.

Nous gagnâmes vivement l'arrêt du bus qui arriva deux ou trois minutes plus tard.

Nous nous assîmes à l'arrière. Personne ne fit attention à nous. Rima regardait par la fenêtre en fumant.

Pendant que nous roulions sur la grand-route qui mène au bord de mer, elle recommença à éternuer.

## CHAPITRE V

### I

Le lendemain matin, peu après sept heures, je m'éveillai d'un sommeil agité, et, les yeux fixés au plafond, je repassai dans ma mémoire les événements de la veille. Je me sentais très bas.

J'avais dormi trois ou quatre heures à peine. Le reste du temps, j'avais pensé au gardien et à la façon dont Rima l'avait tué.

Elle avait regagné sa chambre dès notre retour, et je l'avais entendue éternuer et renifler pendant une heure entière, tant et si bien que je m'étais senti devenir fou. Ensuite, elle était sortie, et j'avais deviné qu'elle s'était mise en chasse pour trouver une poire qui lui paierait une piqûre.

Je dormais quand elle revint. Elle m'avait réveillé en refermant sa porte; mais j'étais si fatigué que je m'étais retourné et rendormi.

Maintenant, couché dans mon lit, tandis que la lumière du soleil filtrait tout autour du store, je me demandais ce que j'avais de mieux à faire. Il fallait que je quitte la ville : je n'osais pas y rester plus longtemps. J'irais voir Rusty, lui emprunterais le prix du voyage et partirais ce matin même. Il y avait un train à onze heures.

La porte de ma chambre s'ouvrit brusquement, et Rima entra. Elle était vêtue de sa chemise rouge et de son pantalon noir collant. Dans son visage pâle, ses yeux brillaient d'un éclat qui n'était pas naturel. Elle avait bel et bien eu sa piqûre.

Elle se planta au pied de mon lit et me regarda.

— Qu'est-ce que tu veux? lui demandai-je. Fous-moi le camp!

— Je vais au studio. Tu ne viens pas?

— Tu es cinglée, non? Je n'y reviendrais pas pour tout l'or du monde.

Elle me fit la grimace, et ses yeux prirent une expression méprisante.

— Je ne vais pas laisser tomber ce boulot. Sans ça, c'est la dernière fois qu'on m'en donnera. Et toi, qu'est-ce que tu comptes faire?

— Je quitte la ville. As-tu oublié que tu as tué un homme hier au soir, ou bien est-ce une chose sans importance pour toi?

— On croit que c'est toi qui l'as tué, dit-elle en souriant.

Je me dressai brusquement sur mon séant.

— Moi? Qu'est-ce que tu me racontes?

— T'énerve pas. Personne n'a tué personne. Il n'est pas mort.

Je rejetai les couvertures et posai les pieds sur le plancher.

— Comment sais-tu ça?

— C'est dans le journal.

— Où est ce journal?

— Je l'ai trouvé devant la porte d'une des chambres.

— Eh bien, ne reste pas là! Grouille-toi d'aller le chercher!

— Il n'y est plus maintenant.

Je me sentis l'envie de l'étrangler.

— On dit vraiment qu'il n'est pas mort?

— Oui.

Je tendis la main pour prendre une cigarette que j'allumai d'une main tremblante. La vague de soulagement qui me parcourut tout entier me laissa hors d'haleine.

— D'où as-tu tiré cette histoire que c'était moi qui l'avais tué? demandai-je.

— Il a donné ton signalement aux flics. Ils recherchent un type au visage balafré.

— Ne me balance pas des salades pareilles! C'est toi qui l'as descendu!

— Il ne m'a pas vue! Il n'a vu que toi!

— Il sait bien que je n'ai pas pu tirer, dis-je en tâchant de ne pas élever la voix. Il sait que je me trouvais face au mur quand tu l'as descendu! Il doit savoir que ce n'est pas moi qui ai tiré!

Elle haussa les épaules d'un geste indifférent.

— Tout ce que je sais, c'est que la police recherche un homme au visage balafré. Tu ferais bien d'ouvrir l'œil.

A présent, j'étais à deux doigts d'avoir une crise.

— Va me chercher un journal! Tu m'entends? Va me chercher un journal!

— Cesse de gueuler. Tu veux que tout le monde t'entende? Il faut que je prenne le bus pour aller au studio. Peut-être vaut-il mieux que tu restes ici et que tu ne te montres pas.

Je l'empoignai par le bras.

— Où as-tu dégotté le revolver?

— C'était celui de Wilbur. Lâche-moi!

Elle se dégagea d'une secousse avant de poursuivre :

— Ne perds pas ton sang-froid. Je me suis déjà trouvée dans de plus sales draps. Si tu restes caché pendant deux jours, tu n'auras rien à craindre. Après ça, tu pourras quitter la ville; mais n'essaie pas avant.

— Dès qu'ils seront sur ma piste, ils commenceront par venir ici!

— Oh! t'énerve pas! dit-elle d'un ton méprisant qui me rendit fou de rage. Tu as les jetons. Garde ton calme, et tout ira bien. Tu ne peux pas te détendre, non? Tu me casses les pieds, à la fin!

Je la pris par le cou et la plaquai contre le mur. Puis je la giflai de toutes mes forces. J'avais plutôt honte de lui taper dessus, mais je ne pouvais pas m'en empêcher. Elle était si dégueulasse que, pour moi, c'était la seule chose à faire.

Je la lâchai et m'écartai d'elle, tout haletant.

— Oui, j'ai la frousse! dis-je. J'ai la frousse parce qu'il y a encore quelque chose de propre en moi. Toi, tu n'as plus rien! Tu es pourrie jusqu'à l'os! Je voudrais ne t'avoir jamais rencontrée! Fous le camp!

Elle resta appuyée contre le mur, le visage d'un rouge ardent là où je l'avais frappé, les yeux brûlant de haine.

— Je n'oublierai jamais ça, espèce de salaud, dit-elle. Avec tout ce que tu m'as fait, j'ai de quoi ne pas t'oublier. Un de ces jours, je réglerai mes dettes envers toi. J'espère que le flic va crever et qu'on t'enverra à la chambre à gaz!

J'ouvris la porte toute grande, d'un geste brutal.

— Fous le camp! hurlai-je.

Elle sortit, et je claquai le battant derrière elle.

Je restai sans bouger pendant un bon moment, essayant de retrouver ma respiration normale. Puis j'allai me planter devant la glace et regardai mon visage blême, décomposé par la peur. J'examinai la mince cicatrice le long de ma mâchoire. Si le gardien l'avait décrite à la police, j'étais cuit.

La terreur me paralysait complètement. Je n'avais plus qu'une idée : quitter la ville et rentrer chez moi; mais, si la police était déjà à ma recherche, je me serais mis moi-même dans le pétrin en me montrant dans les rues en plein jour.

J'entendis Carrie monter l'escalier d'un pas lourd. J'ouvris la porte.

— Rendez-moi un service, lui dis-je. Je garde la chambre aujourd'hui. Voulez-vous aller m'acheter un journal?

Elle me jeta un coup d'œil perçant.

— J'ai pas le temps, monsieur Jeff. Faut que je fasse mon travail.

— C'est très important, dis-je en faisant un gros

86

effort pour garder mon calme. Vous ne pouvez pas en emprunter un pour moi? Essayez donc, Carrie, je vous en prie.

— Je vais voir. Vous êtes malade?

— Je ne me sens pas très bien. Procurez-moi ce journal, vous serez gentille.

Elle fit un signe de tête affirmatif et descendit l'escalier.

Je me recouchai, allumai une cigarette et attendis son retour. Au bout d'une demi-heure, j'étais à bout de nerfs. A ce moment, j'entendis de nouveau Carrie monter pesamment les marches. Je me levai d'un bond et gagnai la porte. Elle me passa une tasse de café et un journal.

— Merci, Carrie.

— La patronne était en train de le lire.

— C'est bien. Merci, Carrie.

Je refermai la porte, posai la tasse de café et regardai la première page du journal.

Comme d'habitude, les titres annonçant les nouvelles de la guerre avaient la priorité. On était le 5 août 1945. Les superforteresses avaient survolé sans cesse le Japon et déversé sur onze villes d'énormes quantités de prospectus pour avertir la population d'un bombardement intensif imminent.

Cette menace adressée aux Japonais ne m'intéressait pas. Je cherchais une menace qui s'adressait à moi-même.

Je finis par la trouver en dernière page.

Un gardien des studios Pacific avait surpris un intrus et avait été abattu à coups de revolver, disait le compte rendu. Le gardien, ancien agent de police, très estimé de ses collègues et de ses chefs au temps où il était en activité, se trouvait à présent à l'hôpital d'Etat de Los Angeles. Avant de sombrer dans le coma, il avait donné à la police le signalement du tueur. On recherchait un homme au visage balafré.

C'était tout, mais ça suffisait largement.

Je me sentis si mal en point que je dus m'asseoir sur le lit, car mes jambes refusaient de me porter.

Peut-être que ce gardien allait mourir, après tout.

Au bout de quelques instants, je trouvai la force de m'habiller. J'avais l'impression que je pourrais être obligé de déguerpir en vitesse, et j'éprouvais le besoin de me tenir prêt. Je fis ma valise; puis je vérifiai ce qui me restait comme argent. J'avais en tout et pour tout dix dollars et cinquante *cents*.

Ensuite, je m'assis à la fenêtre pour observer ce qui se passait au-dehors.

Peu de temps après midi, je vis une voiture de police s'arrêter à l'autre bout de la rue. Quatre flics en civil en débarquèrent. A leur vue, mon cœur se mit à cogner si fort que j'eus du mal à respirer.

Il y avait quatre meublés dans le coin. Les inspecteurs se séparèrent, et chacun d'eux se dirigea vers une des bâtisses.

Celui qui venait dans ma direction était un fort gaillard coiffé d'un chapeau de feutre rond rejeté sur la nuque, serrant entre les dents un mégot de cigare éteint.

Je le regardai monter les marches du perron, et j'entendis retentir la sonnette électrique tandis qu'il appuyait son pouce sur le bouton.

J'allai sur le palier et, par-dessus la rampe, je me mis à observer l'entrée, trois étages au-dessous de moi.

Je vis Carrie traverser l'entrée, puis je l'entendis ouvrir la porte.

Ensuite, ce fut la voix du flic, dure, glapissante :

— Police municipale. Nous recherchons un homme assez jeune, avec une cicatrice sur la figure. Y a-t-il un type de ce genre dans la maison?

Mes mains étaient posées sur la rampe. Je la serrai si fort que le vernis chauffé colla à mes paumes.

— Une cicatrice? dit Carrie d'un ton stupéfait. Non, monsieur. Il n'y a personne ici qui ait une cicatrice.

Je m'appuyai contre la rampe, en bénissant Carrie du fond du cœur.

— Vous en êtes bien sûre?

— Absolument sûre, monsieur. S'il y avait ici quelqu'un qui ait une cicatrice, je le saurais. Y en a pas.

— Ce type est recherché pour meurtre. Vous êtes toujours sûre?

— Y a personne ici qui ait une cicatrice sur la figure, monsieur.

*Recherché pour meurtre!*

Donc, le gardien était mort!

Je regagnai ma chambre et m'étendis sur mon lit. Couvert d'une sueur glacée, je tremblais de tous mes membres.

Je perdis la notion du temps.

Je restai là à suer ma frousse pendant dix ou vingt minutes; puis on frappa timidement à la porte.

— Entrez.

Carrie ouvrit et me regarda avec de grands yeux. Son visage gras, creusé de rides, avait une expression inquiète.

— Je viens de voir un inspecteur de police...

— Je sais : j'ai écouté votre conversation. Entrez, Carrie, et fermez la porte.

Elle s'exécuta.

Je m'assis sur le lit.

— Merci, Carrie. Cette enquête ne me concerne pas, mais vous m'avez évité des ennuis.

J'allai chercher mon portefeuille sur la table de toilette.

— Ce flic aurait pu me flanquer dans de sales draps, poursuivis-je en sortant un billet de cinq dollars. Je vous prie d'accepter ça, Carrie.

— Non, j'en veux pas, monsieur Jeff. J'ai menti parce que nous sommes bons amis.

Je faillis me mettre à pleurer sous le coup d'une brusque émotion, et je m'assis lourdement sur mon lit.

— Vous avez de gros ennuis, n'est-ce pas? demandat-elle en m'observant d'un air scrutateur.

— Oui, Carrie. Mais je n'ai pas participé à ce meurtre. Je serais incapable de tuer quelqu'un.

— Pas besoin de me le dire. Restez bien tranquille. Voulez-vous une tasse de café?

— Non, merci, je n'ai besoin de rien.

— Ne vous tracassez pas. Je vous apporterai un autre journal un peu plus tard.

Elle ouvrit la porte, s'immobilisa sur le seuil et ajouta en désignant la chambre de Rima d'un signe de tête.

— Elle est partie il y a dix minutes, avec tout son saint-frusquin.

— Elle m'avait averti.

— Bon débarras. Ne vous en faites pas, monsieur Jeff.

Elle s'en alla.

Peu de temps après cinq heures, elle revint et posa un journal du soir sur le lit. Elle paraissait pâle et préoccupée, et elle me regarda longuement, d'un air gêné, avant de sortir.

Dès qu'elle eut refermé la porte, je me jetai sur le journal.

Le gardien était mort sans avoir repris connaissance.

Le paragraphe semblait bien court à côté des gros titres du communiqué des opérations militaires, mais les mots me firent l'effet d'un coup de poing en pleine figure.

La police recherchait toujours un homme assez jeune au visage balafré : une arrestation était imminente.

Je me dis que je sortirais aussitôt qu'il ferait nuit. L'idée de rester enfermé tout ce temps-là dans ma petite chambre était assez pénible, mais je savais que je n'oserais pas m'aventurer dans les rues tant qu'il ferait jour.

Je descendis l'escalier, entrai dans la cabine téléphonique payante et appelai Rusty.

Ça me fit du bien d'entendre sa voix dure et rauque.

— Rusty, j'ai des embêtements. Veux-tu venir me voir ici quand il fera nuit?

— Et qui est-ce qui va s'occuper du bistrot pendant ce temps-là? grommela-t-il.

Je n'avais pas pensé à ça.

— Peut-être que je pourrais aller chez toi.

— Il s'agit d'embêtements sérieux?

— On ne peut plus sérieux.

Il dut déceler une expression de panique dans ma voix, car il répondit d'un ton apaisant.

— T'énerve pas. Sam s'occupera de la boîte. Quand il fera nuit, que tu m'as dit?

— Oui, pas avant.

— D'ac. Compte sur moi.

Il raccrocha.

Je revins dans ma chambre et me mis à patienter. Le temps me sembla terriblement long. J'étais dans un état assez lamentable lorsque le soleil se coucha sur la baie et que les lumières s'allumèrent dans les bars de troisième ordre et à bord des bateaux-tripots. Mais à présent, du moins, les ténèbres croissantes me donnaient une impression de sécurité.

Peu de temps après neuf heures, je vis l'Oldsmobile de Rusty tourner le coin de la rue. Je descendis aussitôt l'escalier, et je lui tins la porte ouverte pendant qu'il gravissait les marches du perron.

Nous grimpâmes les trois étages en silence. Je ne commençai à me détendre un peu que lorsqu'il fut dans ma chambre et que j'eus refermé la porte.

— Merci d'être venu, Rusty.

Il s'assit sur le lit. Son visage gras à la mâchoire bleuie par la barbe luisait de sueur; ses yeux avaient une expression inquiète.

— Qu'est-ce qui t'arrive? C'est cette môme?

— Oui.

Je pris le journal et le lui tendis, en lui montrant le paragraphe d'un doigt tremblant.

Il le lut, le visage contracté, l'air consterné.

Puis il leva les yeux et me regarda fixement.

— Sacré nom de Dieu! C'est pas toi qui l'as tué, dis?

— Non, c'est elle. J'ai agi comme un vrai cinglé. Je voulais cinq mille dollars pour lui faire faire une cure. Elle m'a dit que nous pouvions trouver l'argent dans le bureau du chef de figuration. J'ai marché dans la combine. Nous sommes entrés dans la pièce par effraction, mais il n'y avait pas un sou. Le gardien m'a surpris. Elle était cachée derrière le bureau. Elle l'a descendu.

Je m'assis sur la chaise et me cachai la figure dans les mains.

— Moi, j'étais le visage au mur, le dos tourné au gardien. Ecoute, Rusty : je te jure que je ne l'ai pas tué.

Il posa le journal, tira de sa poche un paquet de cigarettes chiffonné, en fit tomber une dans sa vaste paume et l'alluma.

— Te voilà dans un beau merdier. Ma foi, je t'avais averti, non? Je t'avais dit qu'elle ne te vaudrait que des embêtements.

— Oui, c'est vrai.

— Et maintenant, qu'est-ce que tu vas faire?

— Je veux partir d'ici. Je veux rentrer chez moi.

— C'est la première chose raisonnable que je t'aie entendu dire depuis que je te connais...

Il glissa sa main à l'intérieur de son veston et en retira un portefeuille miteux.

— Prends ça, mon pote. Dès que j'ai su que ça allait mal pour toi, j'ai dévalisé la caisse.

Il me tendit cinq billets de vingt dollars.

— Je n'ai pas besoin de tout ce fric, Rusty.

— Prends ça, et ferme ta gueule.

— Non. Tout ce qu'il me faut, c'est le prix de mon voyage de retour. Ça fait dix dollars. Je ne veux accepter rien de plus.

Il se leva tout en fourrant les billets dans son portefeuille.

— Tu feras bien de ne pas t'embarquer à la gare de Los Angeles. Peut-être qu'ils feront surveiller le coin. Je vais te conduire en voiture jusqu'à Frisco. Là, tu pourras prendre le train.

— Si on nous arrête et qu'on te trouve avec moi...

— Oh! écrase! Viens : filons tout de suite.

Il sortit et commença à descendre l'escalier. Je le suivis aussitôt, après avoir pris ma valise.

Carrie attendait dans le couloir.

— Carrie, je rentre chez moi, lui dis-je.

Rusty s'en alla dans la rue, nous laissant en tête à tête.

— Tenez, ajoutai-je en lui tendant mes deux derniers billets de cinq dollars. Je veux que vous preniez ça...

Elle n'en accepta qu'un seul.

— Ça suffit pour payer votre chambre, monsieur Jeff. Gardez le reste. Vous en aurez besoin. Bonne chance.

— Je n'ai pas tué, Carrie. Quoi qu'on puisse dire, je ne l'ai pas tué.

Elle me tapota le bras en souriant d'un air las.

— Bonne chance, monsieur Jeff.

Je sortis dans la nuit et montai dans l'Oldsmobile. Au moment où je claquais la portière, Rusty démarra en trombe.


## II


Il y avait une dizaine de minutes que nous roulions en silence lorsque je commençai à parler.

— C'est drôle, Rusty, mais je n'ai plus qu'une seule idée en tête : rentrer à la maison. Cette affaire m'a servi de leçon. Si j'arrive à me tirer de ce pétrin, je vais me remettre à mes études. J'en ai fini avec ce genre d'existence... fini pour de bon.

— Il n'est que temps, grommela-t-il.

— Tu l'as entendue chanter. Elle avait une voix du tonnerre. Si seulement ça n'avait pas été une camée...

— Si ça n'avait pas été une camée, tu ne l'aurais jamais rencontrée. Voilà comment les choses se passent.

Si jamais tu la revois, sauve-toi comme si ta vie était en jeu.

— Compte sur moi. J'espère ne jamais la revoir.

Nous arrivâmes à San Francisco vers les trois heures du matin. Rusty se mit en stationnement près de la gare, et, pendant que j'attendais dans la voiture, il alla consulter les horaires.

Quand il revint, il avait l'air préoccupé.

— Il y a un train pour Holland City à huit heures dix, me dit-il. J'ai vu deux flics au guichet. C'est peut-être pas à toi qu'ils en veulent, mais ils sont là. Tu es obligé de passer devant eux. Je t'ai pris ton billet.

Je mis le billet dans mon portefeuille.

— Merci, Rusty. Et maintenant, laisse-moi. Je vais aller attendre dans un café.

Il fit un signe de tête négatif.

— Je reste avec toi jusqu'au départ de ton train. Je ne veux courir aucun risque avec un gars de ton espèce. Détends-toi et tâche de dormir. Nous avons longtemps à attendre.

— Je te rembourserai, tu sais. Tu as été un vrai copain pour moi.

— Rentre chez toi, et attelle-toi à un boulot sérieux. Je ne veux pas que tu me rembourses. A partir d'aujourd'hui, ne fous plus les pieds à Los Angeles. La seule façon de me rembourser, c'est de te ranger des voitures et de te mettre à bosser pour de bon.

Nous restâmes assis côte à côte dans la voiture, à fumer, à bavarder et à somnoler, tandis que les heures passaient lentement.

Peu de temps après sept heures, Rusty me dit :

— Nous avons le temps de boire un café. Ensuite, tu pourras filer.

Nous allâmes à un bar où nous prîmes du café et des beignets.

Enfin, l'heure de mon train arriva. Je pris la main de Rusty et la serrai vigoureusement.

— Merci, mon vieux.

— Je t'en prie! Fais-moi savoir comment tu te débrouilles.

Il me donna une grande tape sur l'épaule, puis regagna sa voiture à grands pas.

Je pénétrai dans la gare en tenant mon mouchoir sur ma figure pour cacher ma cicatrice.

Personne ne fit attention à moi.

Longtemps avant l'arrivée du train à Holland City, il se produisit un événement qui enleva tout intérêt (du point de vue de la presse) au meurtre d'un gardien de studio de cinéma, un événement si formidable que la recherche d'un homme au visage balafré n'eut plus la moindre importance.

Une bombe atomique fut lancée sur Hiroshima.

Sous le couvert de cette nouvelle fantastique, je rentrai chez moi tranquillement.

Lorsque le Japon capitula, j'étais de nouveau à l'université. Lorsque le monde entreprit la tâche épineuse de faire la paix, je possédais mon diplôme d'architecte conseil.

Il y avait exactement deux ans que j'avais rencontré Rima pour la première fois.

Je ne devais la rencontrer à nouveau que onze ans plus tard.

## DEUXIEME PARTIE

## CHAPITRE PREMIER

### I

Il peut se passer des tas de choses en onze ans.

Quand je repense à cette période, je peux dire aujourd'hui qu'elle a été la plus passionnante et la plus tonifiante de toute mon existence.

Il y eut un seul point noir : la mort de mon père, deux ans après l'obtention de mon diplôme d'ingénieur. Il mourut d'une crise cardiaque, pendant qu'il travaillait à la banque : exactement comme il aurait voulu mourir s'il avait eu le choix. Il me légua cinq mille dollars et la maison (que je vendis aussitôt). Muni de ce capital et de mon diplôme d'ingénieur qualifié, je m'associai avec Jack Osborne.

Jack avait fait partie de mon unité de combat quand j'étais parti pour les Philippines. Nous avions débarqué ensemble à Okinawa. De cinq ans mon aîné, il avait terminé ses études d'ingénieur avant de partir pour la guerre. Trapu, petit de taille, un peu pot à tabac, il avait des cheveux roux (qui s'éclaircissaient sur le dessus du crâne) et un visage rouge brique couvert de taches de rousseur.

Mais on aurait pu le croire fait de vif-argent! Il possédait une capacité de travail qui me laissait pantois. Il pouvait gratter vingt heures par jour, dormir quatre heures et recommencer avec autant de dynamisme.

Ce fut pour moi un coup de veine qu'il soit venu me rendre visite à Holland City au moment où j'avais les cinq mille dollars de mon héritage.

Jack avait passé trois jours en ville avant de venir me voir; pendant ce temps-là, après avoir parlé à différentes personnes et évalué les possibilités du patelin, il avait décidé que c'était l'endroit où un architecte conseil pouvait gagner sa vie.

Après ça, il avait pénétré en trombe dans mon appartement d'une pièce et m'avait posé une lourde patte sur l'épaule, en me regardant avec un large sourire.

— Jeff, m'avait-il dit, je viens d'étudier ce patelin: c'est ici que je vais planter ma tente. Si nous nous associions, toi et moi?

Là-dessus, nous nous étions lancés dans les affaires en prenant pour raison sociale: Osborne et Halliday.

Halliday était le nom de mon père. Lors de mon départ pour Hollywood, j'avais adopté Gordon, le nom de ma mère, car je ne me sentais pas très sûr de moi, et j'éprouvais le sentiment que je pourrais bien rencontrer sur ma route quelque chose que je n'aimerais pas rapporter à mon père (un de ces instincts bizarres qui vous viennent par hasard et qu'on a tout intérêt à suivre).

Au cours des trois années suivantes, nous ne fîmes guère qu'attendre et espérer des commandes, dans notre bureau d'une seule pièce. Si nous n'avions pas eu un peu d'argent devant nous, nous aurions crevé de faim. Nous réussîmes à survivre en réduisant toutes nos dépenses au strict minimum. Nous partagions une chambre commune dans un meublé; nous préparions nos repas nous-mêmes; nous n'avions au bureau ni secrétaire ni dactylo.

Brusquement, une affaire nous tomba du ciel: il s'agissait de bâtir un pâté d'immeubles de rapport près de la rivière. Il y avait une concurrence sanglante, mais nous nous lançâmes dans la bagarre comme de vieux troupiers. Nous réduisîmes les frais jusqu'à l'os, et nous enlevâmes la commande. Financièrement, ça ne nous rapporta pas grand-chose, mais, au moins, ça montra aux parties intéressées ce que nous pouvions faire.

Lentement, nous obtînmes d'autres commandes, un peu moins dures à dégotter mais pas beaucoup moins. Il nous fallut plus de deux ans pour cesser d'avoir une balance déficitaire. Et n'allez pas croire que ce fut facile. Nous luttâmes bec et ongles, sans qu'il y ait aucune prise interdite; mais nous nous tirâmes d'affaire victorieusement pour nous présenter enfin en plein jour.

Jack et moi, nous formions une bonne équipe. Il s'occupait du travail à l'extérieur pendant que je faisais marcher le bureau. A présent, nous étions à même de prendre quelqu'un pour nous aider. Nous engageâmes Clara Collins, vieille fille maigre, d'âge mûr. Elle nous considérait comme deux gosses un peu cinglés, mais elle menait la barque avec une compétence qui valait largement l'argent qu'elle nous coûtait.

Au bout de six ans, nous commencions à avoir des tas de commandes privées : maisons, bungalows, postes d'essence, et même une petite salle de cinéma; mais nous n'avions pas pu décrocher de construction pour le compte de la ville, or c'était ça qui rapportait gros.

Je décidai de cultiver le maire. Il se nommait Harry Mathison. Je l'avais déjà rencontré deux fois, et il m'avait paru d'un abord facile. Son fils avait été tué aux Philippines. En apprenant que Jack et moi avions combattu dans le même coin, il s'était montré extrêmement bienveillant, mais pas assez bienveillant pour nous faire avoir une affaire.

Chaque fois que le conseil municipal votait un projet de construction, nous envoyions régulièrement un devis, mais nous n'en entendions jamais plus parler. Les architectes en place obtenaient toujours la commande : trois firmes qui se trouvaient à Holland City depuis plus de vingt ans.

Pendant que j'essayais de trouver un point de contact sérieux avec le maire, je fis la connaissance de Sarita Fleming.

Elle dirigeait la bibliothèque municipale de Holland City. Ses parents habitaient New York. Elle avait obtenu à l'université un quelconque diplôme de littérature, et, quand on lui avait offert ce poste de bibliothécaire, elle s'était jetée sur l'occasion, car sa mère et elle ne s'entendaient pas très bien. Il y avait deux ans qu'elle travaillait à la bibliothèque lorsque j'y entrai, un beau jour, en quête de renseignements sur Mathison.

Quand je lui eus expliqué exactement ce que je désirais, Sarita se montra fort utile. Elle savait beaucoup de choses au sujet du maire. Elle m'apprit qu'il avait une véritable passion pour la chasse au canard, que c'était un bon opérateur de cinéma amateur et qu'il aimait la musique classique. La chasse au canard et les prises de vue ne relevaient pas de mon domaine, mais la musique classique me remettait dans la course. Sarita me dit que Mathison était fou de Chopin.

Elle ajouta qu'elle avait quatre billets pour un récital Chopin qui devait avoir lieu à l'Hôtel de ville, avec le concours du pianiste Stefan Askenase, un des plus grands interprètes de Chopin. Elle avait vendu les billets à la bibliothèque et s'en était réservé quatre à tout hasard. Sachant que Mathison n'en avait pas, elle me conseilla de l'inviter à venir au concert avec moi.

L'idée me parut si bonne que je levai les yeux et regardai Sarita avec attention : c'est à ce moment-là que je la vis vraiment pour la première fois.

Elle était grande, mince et bien faite. Une robe grise très simple mettait ses formes en valeur. Elle avait de beaux yeux marron. Ses cheveux châtains soyeux, divisés en deux bandeaux, étaient tirés en arrière et noués en torsades sur sa nuque.

Elle n'était pas jolie, mais il y avait en elle quelque chose qui me troubla profondément. Rien qu'à la regarder, j'eus l'impression que c'était la seule femme avec laquelle je pourrais vivre, la seule dont je ne me lasserais jamais, la seule qui me rendrait heureux.

C'était un étrange sentiment qui me frappa comme

**100**

un éclair; et je compris que si ma période de chance devait continuer, Sarita deviendrait ma femme d'ici peu de temps.

Je lui demandai si elle voulait faire partie d'un groupe de quatre qui comprendrait Mathison, sa femme, elle et moi. Elle accepta.

Jack manifesta un grand enthousiasme en apprenant mon projet.

— Je remercie le Ciel d'avoir un associé cultivé, dit-il. Emmène le vieux Mathison à ce concert Chopin, et tâche de l'impressionner. Peut-être qu'il nous obtiendra un bon boulot s'il croit que vous avez le même goût tous les deux.

Je demandai au maire par téléphone si lui et sa femme voulaient se joindre à moi et à une de mes amies pour aller au concert. Il accepta avec empressement.

En fait, Mathison ne fut impressionné ni par Chopin ni par moi, mais par Sarita. Elle produisit un gros effet non seulement sur lui mais encore sur sa femme.

La soirée fut une réussite.

Au moment où nous nous serrions la main avant de nous séparer, le maire me dit :

— Jeune homme, il est grand temps que vous nous rendiez visite à notre bureau. Passez donc demain. Je veux vous faire faire la connaissance de Merrill Webb.

Webb était le secrétaire de mairie. C'était le type qui répartissait les travaux. Sans son assentiment, on ne pouvait rien faire. Je ne l'avais jamais rencontré.

Pendant que je ramenais Sarita chez elle en voiture, je me sentais au comble de la joie. Je savais que je lui devais cette chance de réussite, et je l'invitai à dîner pour le surlendemain. Elle accepta.

Le lendemain matin, j'allai à l'Hôtel de ville où je rencontrai Webb. C'était un homme maigre, desséché, aux épaules voûtées, entre cinquante-cinq et soixante ans. D'un ton désinvolte, il me demanda quelles études nous avions faites, Jack et moi, quels travaux nous avions déjà entrepris, et autres balivernes du même genre. Il n'avait pas l'air de s'intéresser beaucoup à nous. Finalement, il me serra la main en me disant que, si jamais il avait quelque chose qu'il pensait pouvoir nous confier, il me le ferait savoir.

Je fus un peu refroidi par cette entrevue. J'avais espéré qu'il nous donnerait du travail immédiatement.

Jack déclara que ça ne l'étonnait pas.

— Accroche-toi à Mathison. C'est lui qui dit à Webb ce qu'il faut faire. Accroche-toi à Mathison, et, tôt ou tard, nous gagnerons le gros lot.

A partir de ce moment-là, je fréquentai beaucoup Sarita. Nous sortions ensemble un soir sur deux, et, au bout de quinze jours, je compris que je l'aimais et que je voulais l'épouser.

Je gagnais ma vie très convenablement. Je n'étais pas riche, mais j'avais les moyens d'entretenir une femme. Ne voyant aucune raison d'attendre davantage si elle consentait à unir sa vie à la mienne, je lui fis ma demande.

Elle accepta sans l'ombre d'une hésitation.

Quand j'eus appris la nouvelle à Jack, il se renversa sur le dossier de son fauteuil et m'adressa un large sourire :

— Bon sang! ce que ça me fait plaisir! Il est grand temps qu'un de nous deux se range! Et quelle fille! Je vais te dire une bonne chose, mon vieux Jeff : si tu n'étais pas arrivé au but le premier, j'aurais mis le grappin dessus. Elle est vraiment de première qualité, Jeff. Je ne plaisante pas, tu sais. Cette fille vaut son pesant d'or. Je peux t'assurer que c'est une nature d'élite : je m'y connais.

N'allez pas croire que, pendant toutes ces années, je n'avais plus pensé à Rima et au gardien qu'elle avait assassiné. N'allez pas croire qu'il ne m'arrivait pas, quelquefois, en pleine nuit, de m'éveiller d'un cauchemar au cours duquel j'avais vu Rima dans la chambre, les yeux fixés sur moi. Mais, à mesure que les années s'écoulaient et que cet épisode de mon existence s'estompait dans le lointain, je commençais à me convaincre qu'il appartenait au passé de façon définitive.

J'avais beaucoup réfléchi à la question avant de demander à Sarita de m'épouser. Finalement, je décidai que je pouvais prendre ce risque. Personne ne me connaissait sous le nom de Gordon. J'avais beaucoup changé depuis le temps de mon séjour à Los Angeles, bien que j'aie toujours ma cicatrice et ma paupière droite pendante. J'avais l'impression d'en avoir fini pour de bon avec Rima et avec mon passé.

Nous nous mariâmes vers la fin de l'année. Comme cadeau de noce, on nous confia la construction d'un nouveau pavillon de l'hôpital d'Etat. Ce travail intéressant, dû à l'intervention du maire en notre faveur, nous rapporta pas mal d'argent.

Grâce à ça, Jack put s'offrir un appartement de trois pièces, et Sarita et moi un logement plus modeste de quatre pièces, dans le quartier chic de la ville. Nous pûmes acheter chacun une voiture plus chère et recevoir davantage.

La vie nous paraissait belle. Nous avions l'impression d'être enfin arrivés. Puis, un matin, la sonnerie du téléphone retentit, et j'eus Mathison au bout du fil.

— Venez me voir tout de suite, Jeff, me dit-il. Laissez tout tomber. J'ai à vous parler d'une chose importante.

Surpris de cette convocation soudaine, je laissai tout tomber. Je dis à Clara que j'allais m'absenter, la priai de téléphoner à Jack (qui était sur un chantier) pour lui indiquer où il pourrait me trouver, et filai à toute allure à l'Hôtel de ville.

Mathison et Webb se trouvaient dans le bureau du maire.

— Asseyez-vous, mon garçon, me dit Mathison en me montrant un fauteuil d'un geste de la main. Vous avez entendu parler du pont de Holland City?

— Bien sûr.

— Ce matin, nous avons réglé la question. Nous

disposons de l'argent nécessaire. Il ne nous reste plus qu'à bâtir.

Il s'agissait d'un projet que tous les ingénieurs du comté, et pas mal d'autres en dehors du comté, attendaient depuis longtemps. Il devait détourner la circulation en direction de la ville haute en lui faisant traverser la rivière. C'était le très gros boulot. On estimait les travaux à six millions de dollars.

Mon cœur se mit à cogner dans ma poitrine. Le maire ne m'avait sûrement pas fait venir uniquement pour m'apprendre cette nouvelle. J'attendis la suite, les yeux fixés sur les deux hommes.

Mathison m'adressa un grand sourire :

— Vous croyez-vous capables de construire ce pont, Osborne et vous ?

— Oui, nous en sommes capables.

— J'en ai parlé à Webb. Naturellement, il faudra soumettre le projet au comité; mais si vous présentez les chiffres qui conviennent et si vous réussissez à convaincre les ballots que vous pouvez bâtir le pont en moins d'un an, je crois pouvoir les persuader de vous laisser foncer. Vous aurez tout le monde contre vous, mais je vais faire une toute petite entorse au règlement, et, si votre prix n'est pas exactement ce qu'il doit être, je vous le dirai avant que le comité ait examiné vos devis : de cette façon, vous ne pouvez manquer d'enlever la commande.

C'est à peine si je vis Sarita au cours du mois suivant.

Jack et moi travaillions au bureau comme des nègres, de huit heures du matin jusqu'à parfois trois heures du lendemain matin.

C'était pour nous l'occasion unique de nous classer parmi les entreprises de premier ordre, et nous ne voulions pas la rater.

Finalement, nous fûmes tellement surmenés que je demandai à Sarita de venir travailler au bureau comme dactylo afin de permettre à Clara de se consacrer à la machine à calculer.

Au bout d'un mois, nos devis et notre programme de construction étaient prêts.

J'allai remettre les documents à Mathison. Il me dit qu'il me ferait connaître le résultat, et les choses en restèrent là.

Après trois mois d'une attente interminable, tuante pour les nerfs, il me téléphona pour me demander d'aller le voir.

— Ça y est, mon garçon, me dit-il en venant au-devant de moi pour me serrer la main. Vous avez la commande. Je ne dis pas que je n'ai pas dû me battre pour convaincre un certain nombre de gens; mais vos chiffres étaient bons, et vous aviez la moitié du comité pour vous au départ. Vous pouvez foncer. Entendez-vous avec Webb. Il y aura une autre réunion demain. Je veux que vous y assistiez avec Osborne.

Il y avait exactement dix ans onze mois et deux semaines que j'avais vu Rima pour la dernière fois.


II


Je n'avais jamais imaginé ce que représenterait la construction d'un pont de six millions de dollars jusqu'au jour où Joe Creedy, le directeur du service des Public Relations de la ville, entra dans notre bureau et me l'apprit.

Naturellement, nous avions fêté l'événement dans la plus stricte intimité : Sarita, Jack, Clara et moi. Nous étions allés dans le meilleur restaurant de Holland City pour y dîner au champagne. Personnellement, j'estimais que les réjouissances étaient terminées et que nous devions maintenant nous mettre à bâtir le pont; mais Creedy avait d'autres idées à ce sujet.

C'était un grand gaillard, large d'épaules, au visage lourd, à l'expression sérieuse, aux manières aimables. Il arpentait la pièce pendant que nous l'écoutions, Jack et moi, assis à notre bureau.

— Il y aura un banquet municipal samedi, nous dit-il. Vous serez les invités d'honneur. L'un de vous deux devra prononcer un discours.

Jack eut un large sourire et me désigna du pouce :

— Ça, c'est tes oignons, Jeff. Moi, je serais incapable de faire un discours.

— Je le rédigerai moi-même, précisa Creedy. Peu m'importe qui le prononcera pourvu qu'il soit prononcé. Dimanche, à trois heures de l'après-midi, vous devez passer à la télévision. Je viendrai vous prendre ici, et je vous conduirai au studio.

— La télévision? dis-je en ressentant soudain un léger malaise. Pourquoi donc devons-nous passer à la télévision?

Creedy m'adressa un sourire patient.

— Nous allons dépenser six millions de dollars appartenant à la ville. Le public a le droit de voir les deux types qui dépenseront son argent. Ça n'a rien de terrible. Je vous poserai les questions idiotes habituelles et vous me ferez les réponses idiotes habituelles. Nous présenterons une maquette du pont, et vous expliquerez comment vous vous proposez de le bâtir.

Mon malaise ne cessait de croître. Je sentais le passé revivre dans mon esprit. Je me dis de ne pas m'affoler. Après tout, le réseau de la T.V. ne dépassait pas les limites du comté : nous étions loin de Los Angeles.

— J'essaie d'obtenir de *Life* un article au sujet du pont, poursuivit Creedy. Ils ont l'air de mordre à l'hameçon. Ça serait épatant pour Holland City qu'on en parle dans *Life*.

Mon malaise devint une terreur panique. *Life* était diffusé dans le monde entier. Il faudrait bien m'assurer qu'il n'y aurait aucune photo de moi.

— On dirait que nous sommes devenus des gens célèbres, Jeff, fit Jack d'un ton ravi. Il n'est que temps. Nous avons travaillé assez dur pour mériter ça.

Creedy tira de sa poche un carnet de notes.

— Oui, vous êtes célèbres, c'est sûr. Je voudrais

106

quelques tuyaux sur vous pour préparer mon interview à la T.V. D'abord, les faits principaux : votre lieu de naissance, qui étaient vos parents, quelles études vous avez faites, quels sont vos services de guerre, qu'avez-vous fait depuis la guerre, quels sont vos projets d'avenir, — bref ce genre de topo.

Jack lui fournit les renseignements demandés, et, tout en l'écoutant, je commençai à transpirer. J'allais être obligé de gazer sur mon séjour à Los Angeles.

Quand mon tour vint, je n'eus aucun mal à répondre jusqu'à ce que j'en arrive à ma sortie de l'hôpital et à mon retour à la maison.

— Vous avez recommencé vos études, me dit Creedy, et puis vous avez tout plaqué brusquement : c'est exact?

— Oui. (Comme je ne voulais pas lui mentir, il me fallait procéder avec prudence.) J'ai été incapable de me remettre au travail. J'ai quitté l'université au bout de trois mois, et, pendant quelque temps, je me suis contenté de voir du pays.

— Vraiment? fit-il d'un ton intéressé. Et où êtes-vous allé?

— Un peu partout. J'ai flâné à droite et à gauche sans rien faire.

Il me jeta un coup d'œil perçant.

— Comment avez-vous gagné votre vie?

— J'ai bricolé tantôt dans un endroit, tantôt dans un autre.

Jack, à son tour, manifesta de l'intérêt.

— Tu ne m'avais jamais raconté ça. Je croyais que tu avais toujours travaillé comme ingénieur.

— Non, pendant un an, j'ai pris le trimard.

— Ça pourrait nous donner un peu de pittoresque, dit Creedy. Quels coins avez-vous vus? Quel genre de boulot avez-vous fait?

Ceci devenait dangereux. Je devais mettre un terme à ces questions.

— Je préférerais ne pas entrer dans ces détails. Voulez-vous que nous passions à un autre sujet?

Creedy me regarda d'un air étonné, puis haussa les épaules.

— D'accord. Qu'allez-vous faire de l'argent que vous rapportera la construction du pont?

Je me détendis : la réponse était facile.

— Je vais sans doute acheter une maison; peut-être même que j'en bâtirai une.

Creedy referma son carnet.

— Bon, je crois que ça suffira pour l'instant. N'oubliez pas le banquet, samedi prochain.

Dès qu'il fut parti, nous nous remîmes au travail. Il y avait tant à faire que je n'eus pas le temps de réfléchir à cette publicité imprévue jusqu'au moment où je pris le chemin de la maison, au volant de ma voiture.

Alors, je commençai à me tourmenter.

Je me mis à penser à Rima, non pas comme à un être appartenant à un passé lointain, mais comme à un personnage susceptible de s'immiscer dans mon présent et dans mon avenir.

Si elle repérait ma photo dans les journaux et me reconnaissait, qu'allait-elle faire? Cela dépendait de la situation dans laquelle elle se trouvait. Peut-être qu'elle était guérie maintenant et menait une existence normale, honnête. Peut-être qu'elle était morte. Je me dis que j'avais tort de m'inquiéter. Elle appartenait au passé, et, avec un peu de veine, elle y resterait.

Quand j'entrai dans notre appartement, Sarita m'attendait pour dîner.

Elle était assise auprès d'un feu pétillant; sur la table, se trouvait un shaker de Martini-dry; dans la pièce régnait une atmosphère que seule peut créer une femme vraiment éprise. Mon malaise se calma à cette vue.

Je la serrai dans mes bras, visage contre visage, et je remerciai le Ciel de me l'avoir donnée.

— Tu as l'air fatigué, Jeff. Qu'as-tu fait aujourd'hui?

— J'ai eu un travail fou; et il me reste des tas de choses à régler.

108

Je l'embrassai, puis me laissai tomber dans la chaise longue.

— C'est bon de se retrouver chez soi. Samedi soir, il y a un banquet en notre honneur; dimanche, Jack et moi nous devons passer à la télévision.

Elle versa deux cocktails.

— A ce qu'il me semble, j'ai épousé un homme célèbre.

— Oui, à ce qu'il semble... Mais je sais bien que c'est à toi que je le dois.

Je levai mon verre vers elle.

— C'est toi qui as commencé à bâtir le pont.

— Non, c'est Chopin.

Après dîner, nous nous installâmes devant le feu. J'étais dans le fauteuil, et Sarita sur le plancher, la tête contre mon genou.

— D'ici peu de temps, lui dis-je, nous allons avoir de l'argent à dépenser. Creedy m'a demandé ce que je me proposais d'en faire. Je lui ai répondu que je me bâtirai peut-être une maison. Tu trouves que c'est une bonne idée?

— Tu n'aurais pas besoin de la bâtir, Jeff. J'en ai vu une qui est exactement ce qu'il nous faut.

— Où ça?

— C'est la petite villa de M. Terrell, qui se trouve sur la colline de Simeon. L'année dernière, M. Terrell et sa femme m'y ont invitée à dîner. Oh! Jeff! il n'y manque absolument rien, et elle n'est pas trop grande pour nous.

— Mais qu'est-ce qui te fait croire qu'elle est à vendre?

— J'ai rencontré M. Terrell hier. Il va s'installer à Miami avec sa femme, car elle a besoin de soleil. Naturellement, c'est à toi de décider, mais il faut d'abord que tu la voies. Je suis sûre qu'elle t'emballera.

— Si elle est assez bien pour toi, elle est assez bien pour moi. Sais-tu combien il en veut?

— Je lui téléphonerai demain pour le lui demander.

Je n'étais pas le seul à projeter de dépenser de l'argent.

Le lendemain, quand j'arrivai au bureau, Jack m'annonça qu'il avait commandé une Thunderbird.

— Bon sang! s'exclama-t-il. Qu'est-ce que je vais faire comme épate! Après tout, à quoi sert l'argent si on ne le dépense pas? De plus, il me faudrait un ameublement nouveau. Pourrais-tu persuader Sarita de s'en occuper à ma place? Moi, je n'ai pas le temps.

— Viens dîner chez nous ce soir, et persuade-la toi-même. Il est question pour nous d'acheter la villa de Terrell. Sarita doit prendre des renseignements ce matin.

Il m'adressa un large sourire.

— Nous sommes arrivés, mon pote! Cette affaire me remonte drôlement!

Il ramassa un tas de papiers et les fourra dans sa serviette.

— Il faut que je m'en aille. A ce soir.

Je passai la matinée à recevoir des entrepreneurs et à calculer le montant des frais. Pendant que je déjeunais de quelques sandwiches, Creedy entra brusquement, accompagné de deux types dont l'un portait une caméra Rolleiflex et un flash. La vue de la caméra fit renaître mon malaise.

— Ces gars-là travaillent pour *Life*, dit Creedy. Je leur ai donné à peu près tous les tuyaux. Ils veulent maintenant quelques photos de vous en train de travailler à votre bureau. Osborne est là?

J'expliquai que Jack se trouvait sur le chantier.

Pendant que je parlais, le photographe actionna son flash.

— Dites donc, je ne veux pas que ma photo paraisse dans votre canard, dis-je. Voyez-vous, je...

— Il est timide! s'exclama Creedy en riant. Bien sûr que ça lui fait plaisir! Qui ne voudrait pas avoir sa photo dans *Life*!

Le photographe continuait à actionner son flash. Je

me rendis compte que je ne pourrais rien faire. Je portai ma main à ma figure pour cacher ma cicatrice, mais l'autre type s'en aperçut et manifesta aussitôt de l'intérêt.

— Avez-vous récolté ça pendant la guerre, monsieur Halliday?

— Oui.

— Nous aimerions bien en prendre un cliché. Voulez-vous tourner la tête un peu vers la gauche?

— Je ne veux pas qu'on lui fasse de la publicité, dis-je d'un ton sec. Si vous le permettez, il faut que je continue mon travail.

Je vis que Creedy me regardait en fronçant les sourcils, mais je n'en tins pas compte.

Les deux types échangèrent un coup d'œil, puis le photographe gagna la porte d'un pas nonchalant. L'autre journaliste continua son interrogatoire :

— Vous avez été soigné à l'hôpital de chirurgie plastique de Holland City, n'est-ce pas, monsieur Halliday?

— Oui.

— Vous en avez bavé?

— Pas plus que les autres.

Il m'adressa un sourire plein de sympathie.

— On m'a dit que vous jouiez du piano. Est-ce exact?

— Oui, quand j'ai le temps.

J'avais oublié le photographe et retiré ma main de ma cicatrice. Le flash m'apprit que lui ne m'avait pas oublié. Il sortit du bureau; puis l'autre type me serra la main, déclara qu'il avait tout ce qu'il désirait et s'en alla en compagnie de Creedy.

Cet incident gâcha ma journée de travail. Je n'arrêtais pas de penser aux photographies qui allaient paraître dans *Life*. Je n'arrêtais pas de passer en revue dans mon esprit tous les gens de ma connaissance à Los Angeles, en me demandant quels étaient ceux qui reconnaîtraient Jeff Gordon dans Jeff Halliday et se poseraient des questions.

Je réussis à sortir de cet accès de dépression lorsque j'arrivai chez moi en compagnie de Jack.

Sarita était très agitée. Elle avait eu une conversation téléphonique avec M. Terrell, qui lui avait dit qu'il partait dans deux mois et que, si nous voulions sa villa, il nous la vendrait volontiers.

Sarita avait pris rendez-vous pour que nous allions visiter les lieux après dîner.

Pendant le repas, Jack lui expliqua comment il voulait meubler sa villa, et Sarita lui promit de s'en charger à sa place.

Nous partîmes tous les trois en voiture pour la colline de Siméon. Dès que j'aperçus la villa, perchée sur la hauteur, entourée d'un grand jardin, avec une belle vue sur la rivière, je fus complètement séduit.

Mais je ressentais maintenant au fond du cœur une crainte grandissante qui m'empêcha de manifester tout mon enthousiasme.

A l'intérieur, elle était aussi parfaite que Sarita l'avait prétendu. C'était exactement ce qu'il nous fallait : trois chambres à coucher, un grand living-room, un bureau, une cuisine munie de tous les appareils mécaniques imaginables, un bar encastré dans le patio et un grand four en brique pour les pique-niques en plein air.

M. Terrell en voulait trente mille dollars, ce qui n'était pas cher.

— Bon sang! s'exclama Jack. C'est exactement ce qu'il vous faut. Vous ne trouverez pas mieux ailleurs.

Il avait raison, mais un instinct obscur m'avertit d'être prudent. Je demandai à M. Terrell s'il voulait me laisser un peu de temps pour réfléchir. Il me répondit qu'il m'accordait une semaine pour me décider.

Après le départ de Jack, pendant que nous nous préparions à nous coucher, Sarita me demanda si la villa ne me plaisait pas.

— Elle est très bien, mais je ne veux pas brusquer les choses. J'aimerais que tu ailles voir chez Harcourt s'il y a quelque chose du même genre à vendre. Nous pourrions aussi bien visiter d'autres villas avant de conclure l'affaire avec Terrell. Nous avons une semaine devant nous.

Les deux journées suivantes passèrent assez rapidement. Je travaillais jusqu'à la limite de mes forces, et Sarita cherchait une maison. Elle ne trouvait rien, et je voyais bien qu'elle m'en voulait un peu de lui avoir demandé de chercher. Elle était tellement emballée par la villa de Terrell qu'elle ne parvenait pas à croire qu'il pouvait y avoir quelque chose de mieux.

Elle apporta à la maison un numéro de *Life* où il y avait une assez grande photo de moi, assis à mon bureau : la paupière tombante et la cicatrice se trouvaient bien en évidence.

La légende était rédigée comme suit :

*Jeff Halliday, vétéran de la dernière guerre, a l'intention de bâtir sa propre maison après avoir bâti le pont de six millions de dollars de Holland City. Bon pianiste amateur, il joue les nocturnes de Chopin pour se détendre, après avoir travaillé seize heures de suite à son bureau.*

Cette légende me tourmenta sérieusement. Si ceux qui m'avaient connu sous le nom de Jeff Gordon venaient à la lire, juste au bas de ma photographie, ils feraient aussitôt le rapprochement inévitable.

Le banquet eut lieu le lendemain soir. Ce fut une dure épreuve pour moi, mais je m'en tirai à mon honneur.

Mathison nous couvrit de fleurs, Jack et moi. Il déclara que la ville de Holland City nous faisait entièrement confiance. Il nous avait suivis depuis nos débuts jusqu'à notre réussite actuelle, et il était certain que nous irions loin et que nous bâtirions un pont magnifique, etc.

Je regardai Sarita pendant que le maire continuait à laïusser en phrases ronflantes. Elle avait les yeux

**113**

humides et paraissait très fière. Nous échangeâmes un sourire. Ce fut un des plus heureux moments de mon existence.

Le lendemain, nous passions à la télévision.

Sarita ne m'accompagna pas au studio. Elle préférait me voir à la maison, sur l'écran de notre poste.

Tout se passa très bien. Creedy avait eu une excellente idée en faisant faire une maquette de notre pont. Cela nous permit, à Jack et à moi, d'expliquer comment nous allions procéder, de prouver aux contribuables qu'on ne pouvait pas construire un ouvrage aussi considérable sans dépenser beaucoup d'argent.

Au cours de l'interview, Creedy déclara :

— Ce n'est un secret pour personne que vous devez recevoir cent vingt mille dollars d'honoraires pour ce travail. Qu'allez-vous faire de cet argent?

— Après en avoir donné une bonne partie au fisc, je vais m'offrir une voiture, répondit Jack.

Creedy se tourna vers moi :

— Quant à vous, monsieur Halliday, j'ai cru comprendre que vous vous proposiez de vous installer dans une nouvelle demeure?

— C'est exact.

— Allez-vous la bâtir vous-même?

— Je n'ai pas encore pris de décision à ce sujet.

— Il a assez de pain sur la planche avec le pont, déclara Jack, pour songer à se bâtir une maison par-dessus le marché.

L'interview prit fin dans un éclat de rire général.

Dès que la caméra se fut détournée de nous, Creedy déboucha une bouteille de champagne, et nous trinquâmes. Je mourais d'envie d'aller retrouver Sarita, mais je ne pouvais partir trop tôt.

— Eh bien, les gars, je pense que le pont est lancé, dit Creedy. A présent, foncez et bâtissez-le!

Nous lui serrâmes la main.

Un des techniciens vint vers nous.

— On vous demande au téléphone, monsieur Halliday.

— Je parie que c'est sa femme qui veut lui dire combien elle l'a trouvé beau sur l'écran, dit Jack. Je vais t'attendre en bas, Jeff.

Il sortit du studio en compagnie de Creedy.

J'hésitai l'espace d'un moment; puis, m'étant rendu compte que le technicien me regardait avec curiosité, j'allai au téléphone et pris l'écouteur.

J'avais pressenti instinctivement l'identité de la personne qui m'appelait. Mon instinct ne m'avait pas trompé.

— Bonjour, me dit Rima. J'ai assisté à la petite représentation. Tous mes compliments.

Des gouttes de sueur froide perlèrent à mon front. Autour de moi, des gens s'agitaient dans un bruit confus de conversation. Je devais surveiller mes paroles.

— Merci·bien.

— A ce que je comprends, te voilà devenu riche.

— Je ne peux pas te parler pour l'instant.

— Bien sûr; je ne comptais pas là-dessus. Je te donne rendez-vous à la réception de l'hôtel Calloway, à dix heures. Je te conseille d'être là.

Je l'entendis couper la communication, et, de mon côté, je raccrochai lentement.

Je tirai mon mouchoir de ma poche pour essuyer mon visage ruisselant. Je tremblais de tous mes membres et je compris que je devais être pâle comme un mort.

Le technicien, qui était resté dans les parages, s'avança vers moi.

— Ça ne va pas, monsieur Halliday?

— Mais si...

— Peut-être que c'est la chaleur des projecteurs. Vous avez une fichue mine.

— Je vais sortir : l'air me fera du bien.

— Voulez-vous que je vous accompagne?

— Non... non, merci. Ça va aller. C'est simplement la chaleur.

Je sortis du studio, et descendis l'escalier au bas duquel Jack et Creedy m'attendaient.


## CHAPITRE II

### I

J'eus du mal à trouver l'hôtel Calloway. Quand je réussis enfin à le dénicher, je constatai que c'était une de ces taules sordides où on loue des chambres à l'heure, éparpillées au bord de l'eau, du côté est de la rivière; la police les ferme régulièrement, et elles se rouvrent avec la même régularité sous une nouvelle direction.

Après avoir déposé Creedy à un restaurant où il devait retrouver sa femme, et Jack à son appartement, il était trop tard pour que je rentre chez moi et que je retraverse ensuite toute la ville afin de rencontrer Rima à dix heures.

En conséquence, j'appelai Sarita et lui dis que je devais aller au bureau, car Creedy avait besoin de certains chiffres pour un article qu'il était en train de rédiger. J'ajoutai que je mangerais un morceau avec lui et que je ne pouvais pas savoir quand je rentrerais à la maison. J'avais mauvaise conscience en lui débitant ce mensonge, mais il m'était absolument impossible de lui avouer la vérité.

J'entrai dans le hall de l'hôtel Calloway quelques minutes après dix heures.

Un vieux nègre à cheveux blancs était assis au bureau de réception. Près de la porte se trouvait un palmier poussiéreux dans un pot de cuivre. Eparpillés dans la pièce, on voyait cinq fauteuils en rotin dans lesquels personne, semblait-il, ne s'était jamais assis. Une atmosphère sordide se dégageait de ce lugubre tableau.

Je m'arrêtai et regardai autour de moi.

Assise dans un coin, dans l'unique fauteuil de cuir, une femme pauvrement vêtue, une cigarette entre ses lèvres outrageusement fardées, tenait les yeux fixés sur moi.

L'espace d'un moment, je ne pus reconnaître Rima. Elle n'avait plus ses cheveux couleur d'argent; ils étaient teints en rouge brique et coupés court, à la garçonne. Elle portait un tailleur qui n'en avait plus guère pour longtemps. Son chemisier vert crasseux semblait avoir perdu sa couleur à force d'être trop souvent lavé.

Je traversai lentement le hall, sous le regard du vieux nègre, et m'arrêtai devant elle. Nous restâmes à nous dévisager.

Elle s'était drôlement décatie depuis la dernière fois où je l'avais vue. Son visage bouffi était d'une pâleur malsaine. Elle portait beaucoup plus que ses trente ans. Le rouge dont elle avait tamponné ses joues ne faisait illusion à personne, sauf, peut-être, à elle-même. Elle avait les yeux durs et indifférents d'une tapineuse professionnelle : on aurait dit des pierres trempées dans de l'encre bleu-noir.

Je fus péniblement affecté de voir combien elle avait changé. Le son de sa voix au téléphone avait évoqué dans mon esprit l'image de la fille que j'avais vue onze ans plus tôt, mais cette femme était pour moi une inconnue. Pourtant je savais que c'était Rima : malgré les cheveux rouges et la dureté des traits, on ne pouvait pas s'y tromper.

Le regard des yeux de pierre parcourut rapidement mon complet, l'imperméable que je portais sur le bras, et mes souliers; puis, il se posa sur mon visage.

— Bonsoir, Jeff, dit-elle. Ça fait une paie qu'on s'est pas vus.

— Il vaudrait mieux que nous allions dans un endroit

où nous puissions causer tranquillement, répondis-je, en me rendant compte que j'avais la voix enrouée.

Elle leva les sourcils.

— Je ne voudrais pas te gêner. Tu es un caïd, maintenant. Si tes copains pleins aux as me voyaient avec toi, ils pourraient en tirer des conclusions fausses.

— Nous ne pouvons pas parler ici. Viens dans ma voiture.

Elle fit non de la tête.

— Nous allons parler ici. T'inquiète pas pour Joe. Il est sourd comme un pot. Tu paies un verre?

— Tu peux prendre ce que tu veux.

Elle se leva, gagna le bureau de réception, et appuya sur un bouton de sonnette placé près du nègre qui s'écarta d'elle en lui jetant un regard furieux.

Un homme sortit d'une pièce de derrière : un Italien gros et gras, aux cheveux noirs huileux, au menton couvert d'une barbe hirsute. Il portait une chemise de cow-boy crasseuse et un pantalon de flanelle encore plus crasseux.

— Une bouteille de scotch, deux verres et un siphon, Toni, dit Rima. Et que ça saute.

Le gros homme la regarda avec de grands yeux.

— Et qui c'est qui paie?

— Lui, répliqua-t-elle en me désignant d'un signe de tête. Allez, grouille.

Il m'examina de ses yeux noirs injectés de sang, puis il inclina la tête et rentra dans la pièce d'où il était sorti.

Je tirai un des fauteuils de rotin et le disposai de façon à être assis près de Rima quand elle aurait regagné son siège, tout en ayant la possibilité de voir l'entrée du hall. Puis je m'assis.

Elle revint à son fauteuil de cuir. Pendant qu'elle traversait la pièce, je vis qu'elle avait des échelles à ses bas et que ses souliers semblaient prêts à s'en aller en morceaux.

— Ma parole, dit-elle en prenant place sur son fau-

**118**

teuil, on se croirait revenu au bon vieux temps, non? Sauf que tu es marié, bien sûr.

Elle prit un paquet de cigarettes, en alluma une, et souffla la fumée par le nez. Après quoi, elle poursuivit :

— Tu t'es vraiment pas mal débrouillé, vu que tu aurais pu passer tout ce temps en cellule ou même que tu pourrais, à l'heure actuelle, engraisser le sol d'une cour de prison.

Le gros type revint avec la commande. Je lui payai ce qu'il me demanda, et, après m'avoir regardé avec curiosité, il rentra dans sa piaule.

D'une main tremblante, Rima versa une bonne ration de whisky dans un des verres, puis poussa la bouteille vers moi.

Je n'y touchai pas. Elle avala la moitié de son whisky pur, et ajouta ensuite de l'eau de Seltz à ce qui restait.

— Vrai, t'as pas grand-chose à me raconter, dit-elle en me regardant. Qu'est-ce que tu as fait pendant toutes ces années? Ça t'est arrivé de penser à moi?

— Oui, ça m'est arrivé.

— Tu t'es jamais demandé ce que je pouvais bien devenir?

Je ne répondis pas.

— As-tu conservé cet enregistrement de ma voix?

Je m'étais débarrassé de la bande longtemps avant de rentrer chez moi. Je n'avais rien voulu garder de Rima.

— Je l'ai perdu, dis-je d'un ton impassible.

— Vraiment? C'est dommage. C'était un bon enregistrement.

Elle but une autre gorgée avant d'ajouter :

— Cette bande valait un fameux paquet de fric. J'espérais que tu l'aurais gardée et que je pourrais la vendre.

J'attendis en silence ce qui allait venir.

Elle haussa les épaules.

— Puisque tu l'as perdue et que tu as gagné tant

**119**

d'argent, je suppose que ça te sera égal de me la payer.

— Je ne vais rien te payer du tout.

Elle acheva son whisky et se versa un autre verre.

— Ainsi, te voilà marié. Ça doit te changer, non? Je croyais que les femmes ne t'intéressaient pas.

— Laissons ça de côté, Rima. Ça ne sert pas à grand-chose de continuer ce genre de conversation. Toi et moi, nous vivons dans deux mondes différents. Tu as laissé échapper ta chance. J'ai saisi la mienne.

Elle glissa sa main sous son chemisier sale pour se gratter les côtes. Ce geste me fit revivre le passé avec une brutalité désagréable.

— Est-ce que ta femme sait que tu as assassiné un homme? me demanda-t-elle en me regardant bien en face.

— Je n'ai assassiné personne, répliquai-je d'un ton ferme. Et je te prie de ne pas mêler ma femme à tout ça.

— Bon, très bien : si tu es si sûr d'être innocent de ce meurtre, tu ne verras aucune objection à ce que j'aille dire aux flics que tu en es coupable.

— Ecoute, Rima : tu sais aussi bien que moi que tu as tué ce gardien. Personne ne te croirait maintenant, si je démentais tes paroles. Alors, laissons ça de côté.

— Quand j'ai vu ta photo dans ce beau bureau, sur *Life,* j'ai eu du mal à croire à une veine pareille. Je me suis débrouillée pour arriver ici juste à temps pour assister à ton numéro à la T. V. Alors, tu vas ramasser soixante mille dollars? Ça fait un fameux paquet, tu sais. Combien vas-tu me donner?

— Pas un sou. J'espère que c'est clair, non?

Elle éclata de rire.

— Oh! mais tu te goures! Tu vas casquer! Tu me dois une compensation pour la perte de cette bande. A mon idée, elle vaut bien soixante mille dollars. Peut-être même davantage.

— Tu as entendu ce que je t'ai dit Rima. Si tu

essaies de me faire chanter, je te livrerai à la police.

Elle avala son whisky et se mit à tripoter son verre tandis que ses yeux durs scrutaient mon visage.

— J'ai gardé ce revolver, Jeff. Les flics de Los Angeles ont une description de toi dans leur fichier. Ils savent que le type qu'ils recherchent pour meurtre a la paupière droite tombante et une cicatrice à la mâchoire. Tout ce que j'ai à faire, c'est aller au commissariat le plus proche et déclarer que nous sommes, toi et moi, les coupables recherchés. Quand je leur aurai remis le revolver, tu te trouveras dans le quartier des condamnés à mort. C'est aussi facile et aussi simple que ça.

— Pas tout à fait. Même s'ils ajoutent foi à ton histoire, tu serais la complice d'un assassin. Toi aussi, tu irais en taule, ne l'oublie pas!

Elle se renversa en arrière et éclata d'un rire dur, horrible à entendre :

— Pauvre idiot! Tu t'imagines que ça m'embêterait d'aller en taule? Mais regarde-moi donc! Qu'est-ce que j'ai à perdre? Je suis complètement lessivée! Je suis devenue moche. Je ne peux plus chanter une seule note. Je ne suis rien qu'une camée, toujours en quête d'un peu d'argent pour une piquouse. Qu'est-ce que tu veux que ça me foute d'aller en taule? J'y serais mieux que dans ma situation actuelle!

Elle se pencha en avant, tandis que son visage prenait une expression de dureté implacable :

— Mais, toi, ça ne te serait pas égal d'aller en taule! Tu as tout à perdre! Tu veux bâtir ce pont, non? Tu veux une maison neuve, non? Tu veux continuer à coucher avec ta charmante femme, non? Tu veux t'accrocher à la situation que tu occupes dans la vie, non? Tu as tout. Je n'ai rien. Si tu ne files pas droit, Jeff, nous irons en taule ensemble. Je parle sérieusement. Il ne s'agit pas d'un bluff. Qu'est-ce qui vaut mieux que le fric? Je veux en avoir et je vais en avoir. Ou bien tu casques, ou bien nous allons en taule ensemble!

Je la regardai fixement. Ce qu'elle avait dit était vrai. Elle n'avait rien à perdre. Elle se trouvait tout au bas de l'échelle sociale. J'en arrivais même à croire qu'elle serait effectivement beaucoup mieux en prison.

Il fallait que j'essaie de lui faire peur, mais je savais d'avance que je n'y réussirais pas.

— On t'en collerait au moins pour dix ans. Ça te plairait, tu crois, d'être bouclée dix ans dans une cellule, complètement privée de came?

Elle éclata d'un rire moqueur.

— Ça te plairait, tu crois, d'être enfermé vingt ans dans une cellule, complètement privé de ta charmante femme? Moi, je m'en foutrais pas mal. Peut-être qu'on me désintoxiquerait. Comment t'imagines-tu que j'aie vécu pendant ces dernières années? Comment t'imagines-tu que j'aie réussi à gratter le fric nécessaire pour me payer mes piquouses? J'ai fait le tapin. Réfléchis un peu à ça. Essaie de te représenter ta charmante femme en train de s'envoyer six ou sept soûlards chaque nuit. Tu ne peux pas me flanquer la trouille en me menaçant de la prison; mais, moi, je peux te la flanquer! Après ce que j'ai encaissé, la prison serait un véritable foyer pour moi! Ou bien tu casques, ou bien nous allons en taule!

En regardant ce visage dégénéré, empreint d'une colère forcenée, je compris que j'étais fait comme un rat. Je me trouvais impliqué dans une affaire criminelle. Même si je réussissais à échapper à l'inculpation pour meurtre, j'étais sûr de finir en prison. Ma peur se transforma en fureur contenue. J'avais fait une brillante carrière. J'étais arrivé en haut de l'échelle. Jusqu'au moment où Rima m'avait téléphoné, mon avenir était assuré. Maintenant elle m'avait pris au piège. Il lui suffirait de faire claquer son fouet et je serais obligé d'obéir. Elle avait sûrement l'intention de me saigner à blanc.

— C'est bon, lui dis-je. Je vais te donner cinq mille

dollars. C'est tout ce que je peux gratter. Estime-toi bougrement veinarde d'avoir ça.

— Oh! non, Jeff! J'ai un compte à régler avec toi. Je n'ai pas oublié la façon dont tu m'as traitée. (Elle porta la main à sa figure.) Je ne permets pas à un salaud quelconque de me gifler sans lui faire payer ça. C'est moi qui dicte les conditions. La bande que tu as perdue va te coûter soixante mille dollars. J'en veux dix mille cette semaine, dix mille le premier du mois, trente mille le mois suivant, et dix mille autres pour liquider le tout.

Je sentis le sang affluer à ma tête, mais je parvins à me maîtriser :

— Non!

Elle éclata de rire.

— C'est bon : comme tu voudras. Réfléchis bien, Jeff. Je ne bluffe pas. Ou bien tu casques, ou bien nous allons en taule. Voilà le marché. A toi de choisir.

J'avais beau réfléchir, je ne voyais aucun moyen de me tirer d'affaire. J'étais coincé. Je savais que les choses n'en resteraient pas là. Quand elle serait arrivée au bout des soixante mille dollars, elle reviendrait m'en réclamer davantage. Je ne pourrais jamais échapper à son chantage perpétuel tant qu'elle serait de ce monde. Soudain, je me rendis compte que si je devais mener la vie que je voulais mener, il me faudrait tuer Rima.

Cette idée ne me troubla pas le moins du monde. Je n'éprouvais aucun sentiment à son égard. C'était une créature dépravée, dégénérée, une espèce d'animal. La tuer équivaudrait à écraser un insecte répugnant.

Je pris une cigarette dans mon étui et l'allumai. Mes mains étaient parfaitement fermes.

— Ma foi, j'ai l'impression que tu me possèdes drôlement, dis-je. C'est bon, j'accepte. Je vais me procurer les dix mille dollars. Je les aurai tout prêts pour toi demain. Si tu veux me retrouver hors de l'hôtel à la même heure, je te les remettrai.

Elle m'adressa un sourire qui me glaça le cœur.

— Je sais ce que tu te proposes de faire, Jeff. J'ai beaucoup réfléchi à tout ça. J'ai eu largement le temps de réfléchir pendant que tu te démenais pour gagner de l'argent. Je me suis mise à ta place. Je me suis demandé comment je réagirais si j'étais toi et si je me trouvais dans un pétrin pareil.

Elle laissa la fumée monter lentement de sa bouche ouverte, puis elle reprit :

— D'abord, j'essaierais de trouver un moyen de m'en sortir, et j'aurais vite fait de m'apercevoir qu'il n'y en a qu'un seul.

Elle se pencha en avant pour me regarder bien en face :

— La même idée t'est venue à l'esprit, n'est-ce pas ? Le seul moyen de t'en tirer, c'est que je sois morte, et tu as déjà fait le projet de me tuer, non ?

Je restai immobile, les yeux fixés sur elle. Je sentis le sang se retirer de mon visage et tout mon corps se couvrit d'une sueur glacée.

— J'ai réglé ce côté de la question, poursuivit-elle.

Elle ouvrit son sac miteux d'où elle tira un bout de papier qu'elle jeta sur mes genoux.

— Tu enverras le chèque à cette adresse : celle de la Pacific Union Bank de Los Angeles. Ce n'est pas ma banque, mais je leur ai demandé de créditer mon compte dans une autre, et tu ne sauras pas où elle est. Je ne veux courir aucun risque avec toi. Tu n'auras aucun moyen de découvrir l'adresse de ma banque ni la mienne. Ne t'imagine donc pas que tu vas me tuer, Jeff, car jamais tu ne me retrouveras après cette nuit.

Je maîtrisai une furieuse envie de lui nouer mes deux mains autour du cou et de serrer jusqu'à ce que mort s'ensuive.

— Tu as l'air d'avoir pensé à tout, dis-je.

— Oui, je crois n'avoir rien oublié.

Elle tendit la main, et ajouta :

124

— Donne-moi ton portefeuille. J'ai besoin d'argent tout de suite.

— Va te faire foutre! répliquai-je.

Elle me sourit.

— Tu te rappelles le jour où tu m'as demandé ma bourse, il y a bien des années, et où tu m'as pris jusqu'à mon dernier dollar? Donne-moi ton portefeuille, Jeff; sans ça, nous irons faire un tour au commissariat de police.

Nous nous regardâmes dans les yeux pendant un bon moment. Ensuite, je tirai mon portefeuille de ma poche et le laissai tomber sur ses genoux.

Ce matin-là, j'étais allé à la banque d'où j'avais retiré deux cents dollars. Elle prit tout le paquet, puis jeta le portefeuille sur la table.

Après quoi, elle se leva, fourra les billets dans son sac, gagna le bureau de la réception et sonna.

Le gros Italien sortit de la pièce de derrière. Elle lui dit quelques mots que je ne pus entendre, et lui donna de l'argent. Il lui sourit, puis rentra dans sa piaule.

Elle revint vers moi.

— A présent, je m'en vais. Tu ne me reverras pas, à moins que tu essaies de faire le malin. Dans le courant de la semaine, tu enverras un chèque de dix mille dollars à la banque de Los Angeles. Le premier du mois, tu m'enverras un autre chèque de trente mille dollars, et le mois d'après, un autre chèque de dix mille dollars. Tu as bien saisi?

— Oui, mais ne t'imagine pas que ça va être si facile, répondis-je en me disant qu'il fallait absolument que je la suive, car, si je perdais sa trace ce soir-là, je ne la retrouverais jamais.

— Vraiment?

Le gros Italien et deux types à gueules de tueurs sortirent de la pièce de derrière et se groupèrent devant la porte d'entrée.

Je m'étais levé à mon tour.

— J'ai demandé à ces gars de te garder ici jusqu'à

**125**

ce que j'aie disparu, me dit Rima. A ta place, je n'essaierais pas de me frotter à eux. Ce sont des durs.

Les deux types avaient l'air d'être jeunes et solides. L'un d'eux, un blond aux cheveux plats et bien fournis, portait une veste de cuir et avait des pièces de cuir aux genoux de son pantalon. L'autre, au visage pilonné d'ancien boxeur, était vêtu d'une chemise blanche crasseuse aux manches retroussées et d'un blue-jeans.

— Au revoir, me dit Rima. N'oublie pas notre petit accord, sans ça nous nous retrouverons dans un endroit qui ne te plaira pas.

Elle prit une valise cabossée dissimulée derrière son fauteuil, et traversa le hall.

Je restai sur place, parfaitement immobile.

Les trois hommes me regardaient fixement, sans bouger plus que moi.

Rima sortit de l'hôtel. Je la vis descendre vivement les marches du perron, et s'enfoncer dans les ténèbres.

Au bout de quelques instants, le dur aux cheveux blonds demanda :

— Dis donc, Battler, si on dérouillait un peu ce cave?

L'autre renifla à travers son nez cassé.

— Pourquoi pas? Ça fait des semaines que j'ai pas pris d'exercice.

Le gros Italien déclara d'un ton sec :

— Pas de conneries, les gars. Il va rester là cinq minutes, et après ça il met les bouts. Personne le touche.

Le tueur aux cheveux blonds cracha sur le plancher :

— Ça va, c'est toi le patron.

Nous restâmes là plantés tous les quatre, tandis que les minutes s'écoulaient lentement. Après un laps de temps qui me parut durer beaucoup plus de cinq minutes, le gros Italien dit :

— Amenez-vous. On va reprendre la partie.

Les trois hommes réintégrèrent d'un pas lourd la

pièce de derrière, me laissant seul avec le vieux nègre.

Celui-ci me regarda fixement, en se frottant la nuque de sa grande main noire :

— M'est avis qu'un charme protège vot' vie, m'sieur, me dit-il. Ces mecs-là, y sont mauvais.

Je sortis dans la nuit; et montai dans ma voiture.


## II


Pendant que je traversais la ville pour regagner mon appartement, mon cerveau fonctionnait activement.

Je n'avais, semblait-il, aucun moyen de sortir de ce piège. Il me serait désormais impossible de retrouver Rima. Elle pourrait continuer à me faire chanter en toute sécurité, hors de mon atteinte. Je devrais lui donner tout l'argent que me rapporterait la construction du pont, et d'autre encore par la suite. Je savais qu'elle me ferait casquer jusqu'à son dernier jour.

Je me rendais compte que la villa de Terrell était devenue maintenant un simple château en Espagne. Comment allais-je expliquer cela à Sarita?

La pensée de Sarita me permit de raidir ma volonté. Je ralentis et m'arrêtai au bord du trottoir.

Je ne pouvais pas encaisser ça sans dire ouf! Une vague de fureur déferla en moi. Il fallait que je trouve un moyen de me tirer d'affaire!

Pendant plusieurs minutes, je restai à contempler, à travers le pare-brise, le flot des voitures qui roulaient devant moi, en essayant de calmer mes nerfs à vif. Finalement, je parvins à retrouver mon sang-froid et à penser plus clairement.

Rima m'avait donné l'adresse d'une banque de Los Angeles. Cela voulait-il dire qu'elle quittait Holland City pour se rendre à Los Angeles, ou bien était-ce une feinte pour me faire perdre sa piste?

Il fallait que je la retrouve. C'était mon seul espoir

de survivre. Il fallait que je la retrouve et que je la réduise au silence.

Je démarrai, puis roulai à toute vitesse jusqu'à l'hôtel Ritz-Plaza, à deux blocks de distance. Laissant la voiture à l'extérieur, j'entrai et gagnai l'agence de voyages.

La préposée m'adressa un charmant sourire.

— Vous désirez, monsieur?

— Y a-t-il un avion pour Los Angeles cette nuit?

— Non, monsieur. Le premier avion en partance décolle à dix heures vingt-cinq demain matin.

— Dans ce cas, est-ce qu'il y a un train?

Elle prit un indicateur, le feuilleta rapidement, et, inclina la tête.

— Il y a un train à onze heures quarante. Si vous vous dépêchez, vous pourrez l'attraper.

Je la remerciai et regagnai ma voiture.

Je filai à la gare à toute vitesse, et m'en allai tout droit au bureau de renseignements. Il était onze heures et demie. On m'apprit que le train pour Los Angeles devais arriver au quai numéro trois.

Je m'y rendis à pas prudents, l'œil aux aguets, cherchant à voir Rima. Je m'arrêtai à côté du kiosque à journaux, près de l'accès au quai. La porte était encore fermée. Quelques voyageurs faisaient la queue. Il n'y avait pas trace de Rima. J'attendis en me cachant jusqu'à ce que la porte fût ouverte. Au bout de dix minutes, je vis le train démarrer. J'étais sûr que Rima ne s'y trouvait pas.

Je regagnai ma voiture. J'avais fait une tentative au hasard, et elle avait échoué. Je n'avais pas la moindre chance d'être plus heureux le lendemain : il me serait impossible de surveiller à la fois la gare et l'aéroport. D'ailleurs, selon toute probabilité, elle m'avait donné l'adresse de la banque de Los Angeles pour me faire perdre sa piste. Elle pouvait aller s'installer n'importe où. Mon chèque irait à la banque qui l'enverrait dans n'importe quelle ville du pays. Retrouver Rima semblait une tâche impossible.

Je me mis au volant et roulai vers la maison. En sortant de l'ascenseur pour gagner mon appartement, je jetai un coup d'œil sur ma montre-bracelet. Il était minuit moins cinq. Avec un peu de chance, Sarita serait couchée. Je me sentais à la fois si abattu et de si mauvaise humeur que je ne voulais pas lui parler.

Mais, ce soir-là, je n'avais décidément pas de veine : en ouvrant la porte d'entrée, je vis que la lumière était allumée dans le living-room.

— C'est toi, Jeff?

Sarita vint à ma rencontre tandis que j'ôtais mon imperméable.

— Bonsoir, ma chérie, lui dis-je. Je croyais te trouver au lit.

— Je n'aurais pas pu rester couchée en t'attendant. J'ai cru que tu ne rentrerais jamais...

Le ton de sa voix me poussa à la regarder avec attention. Je vis qu'elle paraissait très agitée.

— Veux-tu prendre quelque chose? ajouta-t-elle.

Bien que je n'aie pas dîné, la seule idée de manger me donnait la nausée.

— Non, merci, je n'ai besoin de rien. Pourquoi as-tu l'air si ému?

Elle glissa son bras sous le mien et m'entraîna dans le living-room.

— M. Terrell a téléphoné il y a deux heures. Il veut que tu prennes une décision immédiate. Il a reçu une offre pour sa villa : dix mille dollars de plus que la somme qu'il nous a demandée. Il est vraiment très chic : il serait heureux que nous soyons acquéreurs, et il nous renouvelle sa proposition toujours au même prix. Mais nous devons lui donner réponse sans plus attendre.

Je m'écartai d'elle et m'assis.

Voilà, ça y était. Je me trouvais dans la mouscaille jusqu'aux yeux avant d'avoir eu le temps de me remettre du premier coup au corps.

— Il a dit qu'il m'accorderait une semaine de réflexion, dis-je en allumant une cigarette.

— Bien sûr, mon chéri, je le sais, répondit Sarita en s'asseyant en face de moi, mais il y a cette offre nouvelle. Nous ne pouvons pas lui demander de perdre dix mille dollars juste pour deux jours. D'ailleurs, pourquoi le ferions-nous attendre? Nous allons acheter cette villa, n'est-ce pas? Il n'y a rien d'autre qui la vaille, et c'est vraiment une excellente occasion.

— Eh bien, non, dis-je sans la regarder. Je crois que je ne vais pas conclure l'affaire, Sarita. J'ai réfléchi à la question. Une maison, c'est une chose qui dure pas mal de temps. Je vais passer toute mon existence dans cette ville. Bien sûr, la villa de Terrell est très agréable; mais j'estime que ce que nous avons de mieux à faire c'est de rester ici un an ou deux, et ensuite de nous construire une maison. A ce moment-là, je connaîtrai exactement ma situation financière. Avec un peu de chance, nous devrions être très à l'aise. Nous pourrions même envisager quelque chose de beaucoup mieux que la villa de Terrell. Il est préférable de bâtir. Dès que j'aurai terminé le pont, j'en ferai le plan. Nous y travaillerons ensemble tous les deux. Nous aurons exactement ce que nous désirons.

Je la vis se raidir, et je pus lire une profonde déception sur son visage.

— Voyons, Jeff, mon chéri, à ce prix, la maison de M. Terrell est une affaire d'or. Au lieu de passer un an de plus dans cet appartement sinistre, nous pouvons très bien nous installer dans la villa, prendre tout notre temps pour bâtir, et, une fois notre nouvelle maison construite, vendre la villa en réalisant un bénéfice.

— Je le reconnais, dis-je en essayant de maîtriser mes nerfs. Mais je préfère attendre. Il vaut mieux ne plus penser à l'offre de Terrell.

— Jeff, je t'en prie : j'adore cette maison. (Ça me fit mal et ça me rendit furieux de voir à quel point elle était bouleversée.) Je t'en prie, change d'avis. Si nous achetons, nous n'avons plus de loyer à payer. Ce sera toujours autant d'économisé. Acheter la villa, c'est placer notre argent de façon très raisonnable, et, pour parler franchement, je ne tiens pas du tout à rester ici un an de plus.

— Je regrette, mais je n'achète pas la maison de Terrell. N'en parlons plus, veux-tu? Je suis fatigué, et j'ai envie de me coucher.

— Mais, voyons, Jeff, tu ne peux pas classer l'affaire si facilement. C'est très important pour nous deux. Nous avons l'argent nécessaire. Tu as reconnu que c'était exactement ce qu'il nous fallait. Nous ne pouvons pas continuer à habiter cet appartement. Tu vas être obligé de recevoir plus qu'avant, et nous ne pouvons pas recevoir des gens ici. Un homme dans ta situation doit avoir une maison agréable.

— N'en parlons plus, Sarita. Je sais ce que je fais.

Après m'avoir regardé pendant un long moment, elle me dit :

— Bien sûr, puisque tu y tiens... c'est bon. Tu veux vraiment que nous restions ici?

— Jusqu'à ce que nous ayons fait bâtir.

— Alors, peut-être pourrions-nous changer le mobilier : essayons au moins de donner meilleur aspect à notre appartement.

— Nous en parlerons une autre fois, répliquai-je en me levant. Pour l'instant, allons nous coucher. Regarde, il va être une heure du matin.

— M. Terrell attend, Jeff. Il veut une réponse ce soir.

C'était plus que mes nerfs n'en pouvaient supporter.

— Eh bien, téléphone-lui donc! Dis-lui que j'ai changé d'avis!

Sur ces mots, je sortis du living-room et passai dans la chambre à coucher.

J'étais à la fois furieux et malade de déception. Pendant que je commençais à me déshabiller, j'entendis Sarita parler au téléphone.

J'achevais de prendre ma douche quand elle entra dans ma chambre. Après avoir passé mon pyjama, j'allai

**131**

la rejoindre, me couchai dans mon lit et allumai une cigarette.

Elle entra dans la salle de bains dont elle ferma la porte. C'était la première fois depuis notre mariage qu'elle s'enfermait ainsi pour faire sa toilette, et je compris tout le sens de ce geste.

Soudain, j'éprouvai le besoin de savoir exactement quelle somme j'avais en banque. Je me levai, passai dans le salon, et pris mon relevé de comptes. Un bref calcul me montra que je possédais un peu moins de mille dollars en liquide, et dix mille dollars en obligations. Je ne devais pas toucher mes honoraires pour la construction du pont avant huit jours.

Depuis que j'avais dégotté ce contrat avec la municipalité, nous avions dépensé mon petit capital à un rythme assez rapide. Il y avait eu des achats de vêtements. J'avais offert une broche en diamant à Sarita. J'avais équipé ma voiture avec des pneus neufs. Il faudrait donc que je me sépare de mes obligations pour les donner à Rima. Cela me laissait deux mille dollars pour huit jours, plus des tas de notes à payer.

Je regagnai la chambre.

Sarita était déjà couchée, le dos tourné à mon lit. Je me couchai à mon tour et éteignis la lumière.

— Bonsoir, ma chérie, dis-je.

— Bonsoir.

Son ton de voix était morne et impersonnel.

— Je suis vraiment désolé, Sarita: mais crois bien que je sais ce que je fais. Tu ne le regretteras pas au bout du compte. Essaie de ne pas être trop déçue.

— Je ne veux plus discuter à ce sujet. Bonsoir.

Le silence régna.

Je restai là, les yeux grands ouverts dans les ténèbres, pas du tout fier de moi. Au bout d'un instant, je concentrai mon esprit sur ce que j'allais faire. Si je voulais sauvegarder notre existence à venir, il me fallait trouver un moyen de sortir de ce pétrin.

De toute évidence, j'avais trois choses à faire : retrouver Rima, retrouver le revolver et m'en débarrasser, puis réduire Rima au silence.

Mais comment allais-je la retrouver?

Demain il me faudrait envoyer un chèque de dix mille dollars à la banque de Los Angeles. Cette banque me semblait être le seul moyen possible de relever la trace de Rima. Naturellement, personne ne me donnerait son adresse; mais ne pourrais-je pas l'obtenir par une ruse quelconque?

Après un bon moment de réflexion, je décidai que cette idée ne valait rien. Quelque part dans la banque de Los Angeles, il devait y avoir une fiche portant le nom de l'autre banque de Rima et des instructions signées demandant qu'on porte à son compte dans cette autre banque toute somme payée à Los Angeles. Etait-il possible de se procurer cette fiche?

Comment avait-on accès aux fiches d'une banque, sauf par effraction nocturne? Ceci n'était pas en mon pouvoir. Seuls, des cambrioleurs professionnels pouvaient pénétrer avec effraction dans une banque, et, de plus, ils étaient presque sûrs de se faire prendre.

Je finis par décider qu'il était impossible de faire le moindre projet tant que je n'aurais pas vu la banque. Il me fallait donc aller à Los Angeles.

Je songeai à toute la besogne entassée sur mon bureau, à la série de rendez-vous prévus pour le lendemain, et je maudis Rima du fond du cœur. Tant pis : je remettrais mon travail à plus tard. Si je voulais retrouver Rima, je devais agir tout de suite.

Il me faudrait donc prendre l'avion de dix heures vingt-cinq le lendemain matin. Jack se débrouillerait des rendez-vous les plus urgents. Je ne pouvais m'imaginer ce qu'il dirait, mais je devais faire vite. Il y avait une faible chance que Rima parte aussi pour Los Angeles, et une chance encore plus faible que je la repère.

Je serais obligé de payer les premiers dix mille dollars. Après quoi, il me resterait trois bonnes semaines avant de verser le deuxième acompte. Au cours de ces trois semaines, je devrais retrouver Rima et la réduire au silence.

## CHAPITRE III

### I

J'arrivai au bureau avant huit heures, d'humeur plutôt sombre.

Au cours du petit déjeuner, Sarita s'était montrée calme. Nous avions échangé à peine quelques phrases. Nous n'avions pas mentionné la villa, mais elle n'avait pas cessé de se dresser entre nous deux comme un mur.

Quand je regardai ma table de travail et vis toute la paperasse entassée dans la corbeille du courrier *Arrivée,* mon cœur se serra. Si je partais pour Los Angeles, j'allais faire retomber sur les épaules de Jack une besogne à laquelle il ne pourrait pas faire face. Je savais qu'il était très pris ce matin-là par des rendez-vous avec des entrepreneurs sur l'emplacement du pont.

Je peinai comme un forçat pendant une heure pour me débarrasser des papiers urgents; puis la porte s'ouvrit brusquement, et Jack fit irruption dans la pièce.

— B'jour Jeff! fit-il, en gagnant sa table. J'ai mis quatre bulldozers sur le chantier. Ils commencent à déblayer en ce moment. Je les ai mis en route, et maintenant, il faut que je voie Cooper au sujet de ces bétonneuses. Le courrier est arrivé?

— Pas encore.

J'hésitai un instant, puis je lâchai tout à trac :

— Ecoute, Jack, il faut que je m'octroie deux jours de congé.

Il était en train de tripoter une masse de papiers, en marmonnant entre ses dents. Tout d'abord, il sembla ne pas avoir entendu; puis, il leva vivement les yeux.

— Qu'est-ce que tu as dit?

Je me renversai dans mon fauteuil et m'efforçai de prendre un air détaché.

— Il faut que je m'octroie deux jours de congé. Je voudrais que tu t'occupes du bureau.

Il me regarda en écarquillant les yeux, comme s'il m'avait cru fou.

— Hé! là! Minute! Tu ne peux pas me faire un coup pareil, Jeff! A quoi penses-tu? Tu as fixé des rendez-vous à Kobey. Max Stone, Crombie et Cousins, non? Il me faut les devis pour l'acier aujourd'hui même. Pas question que tu prennes un congé en ce moment!

— Je regrette, mais j'y suis obligé. Il s'agit d'une affaire personnelle très urgente.

Son visage jovial tourna soudain au rouge brique, et ses traits se durcirent.

— Je me fous pas mal de ton affaire urgente! Nous bâtissons un pont et notre temps est limité. Ton affaire personnelle urgente, tu peux te la coller aux fesses! Tu dois rester ici et faire ton boulot comme je fais le mien.

— Mais il faut que je parte, Jack.

Il passa sa main dans ses cheveux clairsemés, sans me quitter du regard. Lentement, le sang reflua de son visage, et ses yeux vigilants prirent une expression sagace.

— Que se passe-t-il donc?

— J'ai des ennuis, répondis-je d'un ton neutre, sans le regarder. C'est une affaire très importante pour Sarita et pour moi.

Il déplaça des papiers sur son bureau, les sourcils froncés, puis il me dit :

— Je m'excuse de m'être foutu en pétard. Je suis

**135**

désolé d'apprendre que tu as des ennuis. Jouons cartes sur table, Jeff. Toi et moi, nous sommes associés. Nous avons mis tout notre argent dans cette entreprise. Nous venons de dégotter le plus gros boulot que la ville puisse nous donner. Si nous loupons le truc, nous sommes cuits. Ne te fais pas d'illusions à ce sujet. J'ignore quel genre d'ennuis tu peux avoir, mais je tiens à te rappeler que notre besogne actuelle représente mon avenir autant que le tien. Si tu rates tes rendez-vous aujourd'hui, ça nous fait cinq jours de travail perdus. Si Mathison se met en tête de te téléphoner et ne te trouve pas à ton bureau, il fera un foin de tous les diables. J'insiste sur ce sujet, Jeff, parce qu'aucun de nous deux ne peut et ne doit prendre une seule minute de congé pendant au moins deux mois.

Il haussa les épaules avant de poursuivre :

— Mon vieux, j'ai dit ce que j'avais à dire. A toi d'agir comme il te plaira. Si tu prends un congé aujourd'hui, la construction du pont sera retardée de cinq jours, nous aurons bousillé notre boulot, et nous n'aurons jamais plus une commande pareille. Je le sais, et rien de ce que tu pourras dire ne changera les faits.

Je savais qu'il avait raison. Je me sentis pris d'une envie de meurtre en me rendant compte que Rima avait dû compter là-dessus : elle avait calculé que je serais enchaîné à Holland City, de sorte qu'elle pourrait se cacher tout à loisir, en étant bien certaine que, une fois planquée, je ne réussirais jamais à la retrouver.

J'hésitai un bon moment, puis j'abandonnai mon projet. Je devais penser à Jack et au pont, même si cela entraînait le sacrifice de mon intérêt personnel. Il me faudrait attendre. Ça me rendrait la recherche de Rima beaucoup plus difficile et je perdrais dix mille dollars de plus, mais je n'avais pas le choix.

— C'est bon, n'y pense plus, dis-je. Je m'excuse d'avoir mis ça sur le tapis.

— Je me fous de tes excuses! Il faut que tu restes ici, Jeff, sans ça nous sommes lessivés, un point c'est

**136**

tout!... Et maintenant que nous n'avons plus cette petite affaire sur l'estomac, si tu me disais ce qu'il t'arrive? Nous sommes associés. Je ne suis pas idiot au point de ne pas comprendre, en te regardant, que tu as une sale histoire sur les bras. C'est une bonne chose que de partager les mauvaises choses : partage celle-là avec moi.

Je faillis tout lui raconter, mais je m'arrêtai juste à temps.

Je n'avais qu'un seul moyen de sortir de cette panade : retrouver Rima et la réduire au silence. Je ne pouvais pas mêler Jack à cette histoire. Je devais me débrouiller tout seul, sous peine de le rendre complice d'un meurtrier.

— Personne ne peut m'aider dans cette affaire, lui dis-je en détournant les yeux. Merci quand même.

— Tu sais mieux que moi ce que tu as à faire, répliqua-t-il. (Et je pus voir qu'il était blessé et tourmenté.) Je n'insisterai pas. Mais je tiens à préciser que si tu as besoin d'une aide quelconque, financière ou autre, tu peux compter sur moi. Je suis ton associé. Ce qui te touche me touche également. Compris?

— Merci, Jack.

Nous échangeâmes un regard légèrement embarrassé. Puis il se leva et se mit à ramasser ses papiers.

— Eh bien, il faut que je m'en aille. Il y a deux types qui m'attendent en ce moment-ci.

Une fois Jack parti, je pris mon carnet de chèques et fis un chèque de dix mille dollars au nom de Rima Marshall. Je le glissai dans une enveloppe, l'adressai à la banque de Los Angeles, et posai l'enveloppe dans la corbeille du courrier *Départ*. Ensuite je téléphonai à ma banque et demandai qu'on vende mes obligations.

J'étais coincé, mais je conservais la ferme résolution de retrouver Rima si je le pouvais avant de me séparer d'une autre somme d'argent. Si je me mettais vraiment à la besogne en travaillant presque sans arrêt, je pourrais gagner quelques jours pour me permettre de respi-

rer. Il me restait trois semaines pour expédier les paperasses qui encombraient mon bureau, et avancer suffisamment dans mon travail pour m'offrir un congé :
trois semaines avant la date du second paiement.

Je me mis à la tâche.

Je doute qu'un homme ait jamais peiné plus dur que
je ne le fis pendant les quinze jours qui suivirent. Je
travaillai comme un fou.

J'étais à mon bureau à cinq heures et demie du matin, et je trimais sans arrêt jusqu'à minuit passé. Au
cours de ces deux semaines, je n'échangeai pas plus
d'une douzaine de phrases avec Sarita. Elle dormait
quand je quittais l'appartement, et je la trouvais au lit
à mon retour. Mes entrepreneurs faillirent perdre la raison. Je transformai la pauvre Clara en un automate fili-
forme aux yeux profondément enfoncés dans leurs
orbites. J'avançai si vite que Jack ne put se maintenir
à mon niveau.

— Bon sang de bon sang! s'exclama-t-il d'un ton
furieux, le douzième jour. Nous n'avons pas à terminer
ce foutu pont la semaine prochaine! Vas-y mou,
veux-tu? Mes gars deviennent cinglés à ce régime!

— Je m'en fiche éperdument! Tout est réglé au poil
en ce qui me concerne, et je prends trois jours de congé
à partir de demain. Quand je reviendrai, tu m'auras
sûrement rattrapé. Vois-tu la moindre objection à ce
que je m'octroie un congé?

Jack leva les bras au ciel dans un geste d'abandon :

— J'en suis ravi! Sérieusement, Jeff, je n'ai jamais
vu personne trimer comme tu l'as fait pendant ces deux
dernières semaines. Tu as bien gagné tes trois jours.
C'est bon, va-t'en quand tu voudras; mais je tiens encore
à te dire une chose : si tu es dans un aussi sale pétrin
que je le pense, je veux partager tes embêtements.

— Je peux m'en tirer tout seul, mon vieux Jack.
Mais je te remercie quand même.

Je regagnai mon appartement vers onze heures du
soir : c'était la première fois que je rentrais à une heure

**138**

raisonnable. Quand j'arrivai, Sarita se préparait à se coucher.

Elle était parvenue à surmonter sa déception au sujet de la villa, et nous avions repris nos relations habituelles, à peu de chose près. Je savais qu'elle avait observé la façon dont je travaillais et qu'elle s'en inquiétait.

Je me sentais assez à plat, mais j'étais soutenu par la pensée que j'allais enfin me mettre à la recherche de Rima.

— Je pars demain pour New York à la première heure, dis-je. Je dois régler pas mal de choses, et je resterai absent pendant trois ou quatre jours. Il faut que je dresse un devis meilleur marché pour plusieurs articles nécessaires à la construction du pont, et New York est le seul endroit où je trouverai ce qu'il me faut.

Elle vint à moi et m'entoura de ses bras.

— Tu te tues à la tâche, Jeff. Tu n'as certainement pas besoin de travailler tant que cela?

Elle leva sur moi ses yeux noisette emplis d'inquiétude.

— Ça se calmera. Ç'a été dur ces derniers temps, mais il fallait que j'expédie tout mon travail de bureau avant de pouvoir entreprendre ce voyage.

— Est-ce que je pourrais t'accompagner, mon chéri? Il y a des années que je ne suis pas allée à New York. Ça me ferait tellement plaisir! Nous nous retrouverions après tes rendez-vous d'affaires, et, pendant que tu serais occupé, j'irais faire le tour des magasins.

Je n'arrive pas à comprendre pourquoi je n'avais pas pensé qu'elle voudrait venir avec moi. De toute évidence, c'était la première chose qu'elle devait demander. Je la regardai fixement pendant une longue et pénible minute, incapable d'inventer un prétexte pour éluder sa demande. Peut-être ce regard fut plus éloquent que tout ce que j'aurais pu lui dire. Je vis ses yeux perdre leur expression animée, et sa figure s'allongea.

— Je te prie de m'excuser, dit-elle en se détournant

**139**

pour arranger les coussins sur le divan. Naturellement, tu ne pourras pas t'embarrasser de moi. Je n'avais pas réfléchi. Je regrette d'avoir parlé de ça.

Je respirai profondément. J'avais horreur de lui voir une figure pareille. J'avais horreur de lui faire tant de mal.

— Vois-tu, Sarita, il se trouve que je serai occupé le matin, à midi et le soir. Je te prie de m'excuser, à mon tour, mais je crois qu'il vaudrait mieux que tu restes ici pour cette fois. A mon prochain voyage, ce sera différent.

— Oui, bien sûr, dit-elle en allant et venant dans la pièce. Pour l'instant, nous ferions mieux d'aller nous coucher.

Ce fut seulement quand j'eus éteint la lumière et quand nous fûmes étendus, chacun de notre côté, dans nos lits jumeaux, que Sarita reprit la parole :

— Jeff? qu'allons-nous faire de notre argent? As-tu pensé à quelque chose?

Notre argent, nous allions le donner à Rima, si je n'arrivais pas à la retrouver et à la tuer; mais je ne pouvais guère dire cela à ma femme.

— Nous allons nous bâtir une maison, déclarai-je d'un ton mal assuré. Nous allons nous donner du bon temps dès que j'en aurai fini avec tout ce travail.

— Jack s'est acheté une Thunderbird. Il a dépensé douze mille dollars pour redécorer et remeubler son appartement. Mais nous, qu'avons-nous fait de l'argent qui nous revient?

— Ne t'occupe pas de ce que fait Jack. Il est célibataire et n'a pas besoin de s'inquiéter de son avenir. Moi, il faut que je sois certain que tu aurais de quoi vivre si jamais il m'arrivait quelque chose?

— Cela veut-il dire que je devrai attendre jusqu'à ta mort ou notre vieillesse avant d'en dépenser un sou?

— Ecoute, Sarita... (Mon ton irrité blessa ma propre oreille.) Nous dépenserons cet argent...

— Excuse-moi, Jeff. Mais ça me paraît bizarre que tu

**140**

doives toucher soixante mille dollars et que nous conti-
nuions pourtant à vivre de la même manière, à porter
les mêmes vêtements, à ne jamais sortir, à ne jamais
rien faire... — je ne peux même pas t'accompagner à
New York. Peut-être que je suis déraisonnable, mais je
n'arrive absolument pas à comprendre pourquoi tu
trimes comme un forçat jour et nuit sans que ni toi ni
moi n'en tirions la moindre distraction.

Je sentis le sang affluer à ma tête. Poussé à bout, je
ne pus garder mon sang-froid.

— Pour l'amour du Ciel, Sarita, en voilà assez!
m'écriai-je. J'essaie de bâtir un pont! Je n'ai même pas
encore touché l'argent. Nous le dépenserons quand on
me l'aura donné!

Après quelques instants de silence, elle me dit d'un
ton de stupeur glacée :

— Je te demande pardon. Je n'avais pas l'intention
de te faire mettre en colère.

Un autre silence suivit, mortel, interminable. Chacun
de nous savait que l'autre était éveillé, incapable de dormir, le cœur plein d'inquiétude et d'amertume.

Le fantôme de Rima se dressait entre nos lits, nous
écartait l'un de l'autre, menaçait notre bonheur.

Il fallait que je la retrouve.

Il fallait que je me débarrasse d'elle.


II


J'arrivai à l'aéroport de Los Angeles un peu après
une heure, et me rendis en taxi à la Pacific Union
Bank.

Au cours des trois semaines passées, j'avais consacré
tous mes moments de loisir (et ils étaient rares) à me
torturer l'esprit pour trouver un moyen d'obtenir
l'adresse de l'autre banque de Rima. Comme j'étais sûr
que la Pacific Union aurait cette adresse sur fiche,

**141**

j'allais essayer tout d'abord de découvrir où on gardait cette fiche.

Tout en payant le chauffeur de taxi, je fus soulagé de constater que la banque était très importante. J'avais craint que ce ne fût une petite succursale avec un personnel très peu nombreux qui pourrait me reconnaître. Mais je me trouvais devant un vaste bâtiment, avec un garçon de courses à la porte par laquelle entrait et sortait un flot continuel de clients.

Je pénétrai dans le grand hall de réception. A droite et à gauche s'alignaient des guichets derrière lesquels se tenaient les caissiers. Devant chaque guichet, un petit groupe de gens attendait. Tout autour, dans le fond, il y avait une galerie où des commis s'affairaient avec des machines à calculer, des duplicateurs et autres appareils du même genre. A l'extrémité du hall, je pouvais voir les cages de verre réservées aux fonctionnaires de la banque.

J'allai me mettre à la suite de quelques clients en train de faire la queue à un guichet. M'excusant à voix basse, je tendis le bras et pris un bulletin de paiement dans le classeur. Puis, je tirai dix billets de cinq dollars de mon portefeuille. Au bout de quelques minutes, il n'y eut plus qu'une seule personne devant moi, et je pus atteindre le comptoir. En tête du bulletin de paiement, j'écrivis en grosses lettres majuscules : *RITA MARSCHAL*, et au bas de la feuille : *payé par John Hamilton*.

L'homme qui se trouvait devant moi s'écarta du guichet. Je glissai sous la grille le bulletin et les dix billets de cinq dollars.

Le caissier prit le bulletin, leva son tampon de caoutchouc, puis arrêta son geste en fronçant les sourcils, et leva les yeux vers moi.

Appuyé contre le comptoir, je regardais dans le vague, le visage impassible.

— Je crois que ceci n'est pas correct, monsieur, dit-il.

Je me tournai vers lui, et fronçai les sourcils à mon tour.

— Que voulez-vous dire?

Il hésita, examina de nouveau le bulletin, puis reprit :

— Si vous voulez bien attendre un instant.

Les choses se passaient comme je l'avais espéré. Il quitta son guichet, le bulletin à la main, et, longeant le comptoir, il gagna d'un pas rapide l'escalier qui menait à la galerie. Je reculai pour pouvoir l'observer. Arrivé à la galerie, il se dirigea vers une fille assise devant une grosse machine, et lui dit quelques mots. Elle fit pivoter son fauteuil pour consulter un grand tableau fixé au mur. Je la vis parcourir du doigt ce qui semblait être une liste de noms. Ensuite elle se tourna vers la machine et appuya sur diverses touches. Un instant plus tard, elle tendit la main et remit un carton au caissier.

Mon cœur battait à grands coups.

Je savais qu'elle venait de faire fonctionner une machine à classer automatique qui donnait la fiche de n'importe quel client quand on appuyait sur des touches numérotées, chaque client ayant son numéro personnel.

Il suffisait de presser les touches, et la fiche tombait dans un plateau.

Le caissier examina le carton et mon bulletin de paiement. Puis, il rendit le carton à la fille et se hâta de venir me rejoindre.

— Il y a sûrement une erreur, monsieur, dit-il. Nous n'avons pas de compte à ce nom. Vous êtes bien sûr de ne pas vous être trompé

Je haussai les épaules d'un geste impatient.

— Je ne pourrais pas le jurer. Il s'agit d'une dette de bridge. Je jouais contre Mlle Marschal et j'ai perdu. Comme je n'avais pas mon carnet de chèques sur moi, je lui ai promis de payer ce que je lui devais à votre banque. J'ai cru comprendre qu'elle n'avait pas de compte ici, mais que vous vous chargiez de toute somme payée en son nom.

Il me regarda avec de grands yeux.

— C'est exact, monsieur, si vous parlez de notre cliente; mais son nom n'est pas Marschal. Est-ce qu'il ne s'agirait pas de Rima Marshall, sans « c » et avec deux « l »?

— Je n'en sais rien; peut-être ferais-je mieux de vérifier, répondis-je.

Puis j'ajoutai d'un ton désinvolte :

— Il se trouve que je n'ai pas son adresse. Pourriez-vous me la communiquer?

Il me répliqua sans sourciller :

— Si vous voulez bien adresser votre lettre aux bons soins de la banque, monsieur, nous nous ferons un plaisir de la faire suivre.

J'étais à peu près certain qu'il me donnerait cette réponse, mais, malgré tout, je fus déçu.

— C'est ce que je vais faire. Merci bien.

— A votre service, monsieur.

Je lui adressai un signe de tête, remis l'argent dans mon portefeuille, et sortis.

J'avais joué mon premier coup. Maintenant que je savais où se trouvait la fiche, il me restait à en prendre connaissance.

Je me fis mener en taxi à un hôtel tranquille et pas cher. Dès que je fus dans ma chambre, je téléphonai à la Pacific Union Bank, et demandai à parler au directeur.

Quand il fut au bout du fil, je me présentai sous le nom d'Edward Masters, et lui demandai s'il pouvait me recevoir le lendemain matin vers dix heures, car je désirais traiter une affaire avec lui.

Il me fixa un rendez-vous à dix heures quinze.

Ça m'agaçait de rester inactif jusqu'au lendemain matin, mais, en la circonstance, il ne fallait rien brusquer. Je me rendais parfaitement compte que, treize ans auparavant, la police de Los Angeles avait recherché un homme à la paupière droite tombante et à la mâchoire balafrée. Pour autant que je le sache, un vétéran plein de zèle pourrait bien me reconnaître même à présent. En conséquence, je passai le reste de la journée dans le salon de l'hôtel, et j'allai me coucher de bonne heure.

Le lendemain matin, j'arrivai à la banque à dix heures quatorze.

On me fit entrer aussitôt dans le bureau du directeur.

Ce petit homme gras et d'âge mûr, à l'air très professionnel, me serra cordialement la main. En même temps, il me fit comprendre par son attitude qu'il était très occupé, et qu'il aimerait bien que j'expose mon affaire sans lui faire perdre trop de temps.

Je lui dis que je représentais une entreprise de construction de bâtiments. Notre siège principal se trouvait à New York, mais nous avions l'intention de fonder une succursale à Los Angeles. Nous avions décidé de nous faire ouvrir un compte à la Pacific Union, et je lui donnai à entendre que nous étions une maison assez importante. Je lui demandai conseil sur la meilleure façon de trouver des locaux : nous aurions besoin de beaucoup de place, car notre personnel comprenait dix chefs de service et plus de deux cents employés. Ces chiffres produisirent une grosse impression sur lui. Il me donna le nom d'une agence immobilière qui pourrait me procurer ce que je désirais. Je lui dis que nous nous proposions de transférer environ deux millions de notre banque de New York dans la sienne, afin de pouvoir démarrer. Ce chiffre l'impressionna également.

Il m'affirma qu'il serait heureux de faire pour moi tout son possible. Il me suffirait de demander, et les services de la banque seraient à ma disposition.

— Je crois n'avoir besoin de rien, dis-je.

Puis j'ajoutai, après un silence :

— Au fait, si, peut-être. Je vois que vous possédez un matériel de bureau très moderne. Je veux faire installer le même chez nous. A qui dois-je m'adresser?

— Vous ne trouverez rien de mieux que Chandles et Carrington. Ils ont tout le matériel dont vous pourriez avoir besoin.

— En un sens, notre entreprise ressemble un peu à la vôtre, dis-je en abordant prudemment le motif pour lequel je me trouvais assis devant lui. Nous avons des

**145**

clients un peu partout. Il nous faut rester en contact avec eux et mettre en fiches nos transactions avec eux. Vous avez ici une machine à classer qui m'intéresse. Est-ce qu'elle vous donne satisfaction?

Je tombais bien : cette machine était pour lui un grand sujet d'orgueil.

— Elle nous donne pleine et entière satisfaction. Je reconnais qu'elle coûte cher, mais, en fin de compte, il n'existe rien de mieux.

— Je l'ai aperçue en entrant. Vous en êtes vraiment content?

— Ecoutez, monsieur Masters, si elle vous intéresse, je serais trop heureux de vous faire assister à une démonstration. Nous en sommes plus que contents. Voudriez-vous la voir fonctionner?

Je me contraignais à prendre un ton désinvolte.

— Je ne voudrais pas vous ennuyer...

— Ce n'est pas un ennui, c'est un plaisir.

Il appuya sur un bouton, et ajouta :

— Je vais demander à M. Flemming de vous montrer la machine.

— Dès que nous aurons trouvé les locaux voulus, je me remettrai en rapport avec vous, dis-je. Je vous suis très reconnaissant de votre complaisance.

Un employé apparut sur le seuil : un type à l'air sérieux qui prit une attitude d'attente respectueuse.

— Flemming, voici M. Masters. Il va se faire ouvrir un compte chez nous. Il s'intéresse à notre machine à classer automatique. Voulez-vous lui faire une démonstration?

— Certainement, monsieur, dit le type en s'inclinant devant moi. Je m'en ferai un plaisir.

Je me levai. Mes jambes tremblaient. Je savais que j'étais à mi-chemin du but, mais ça n'était pas suffisant. Je serrai la main du directeur en le remerciant à nouveau; puis je sortis du bureau derrière Flemming que je suivis jusqu'en haut de l'escalier et le long de la galerie.

Nous nous arrêtâmes près de la machine.

L'employée assise devant elle fit pivoter son fauteuil et nous lança un regard interrogateur.

Flemming me présenta, puis il se mit à m'expliquer le fonctionnement de la machine.

— Nous avons environ trois mille cinq cents clients. Chacun d'eux a un numéro. La liste des numéros se trouve ici, sur ce tableau.

Il me montra du doigt un grand tableau fixé au mur. J'allai me planter devant, et le parcourus rapidement des yeux. Je trouvai le nom de Rima. Ça me parut bizarre de voir les caractères d'imprimerie qui formaient les mots et le nombre suivants : *Rima Marshall 2997.*

Mon esprit absorba le numéro comme il n'avait jamais absorbé rien d'autre au cours de mon existence.

— Du moment que nous avons le numéro, poursuivit Flemming, il nous suffit d'appuyer sur les touches qui portent ses différents chiffres, et la fiche tombe aussitôt sur le plateau que voici.

— Ça me paraît épatant, dis-je en lui souriant, mais est-ce que ça marche?

L'employée, qui avait écouté, m'adressa un sourire apitoyé.

— Ça ne rate jamais.

— Faites-moi une démonstration, dis-je en lui souriant à mon tour.

— Prenez le premier nom sur la liste : R. Aitken, dit Flemming. Il porte le numéro 0001. Mademoiselle Laker, donnez-moi la fiche de M. Aitken.

Elle fit pivoter son fauteuil et appuya sur les touches. La machine se mit en marche en bourdonnant, puis une fiche tomba dans un plateau.

— Pas plus difficile que ça, déclara Flemming en tournant vers moi un visage épanoui.

Je tendis la main.

— Je suis un sceptique. Cette fiche n'a peut-être rien à voir avec M. Aitken.

D'un air ravi, il me passa le carton en haut duquel je lu le nom Aitken imprimé en grosses lettres.

— Je reconnais que c'est impressionnant. A ce qu'il semble, il me faudra consacrer un certain capital à l'achat d'une machine semblable. Est-ce que je peux essayer à mon tour?

— Certainement, monsieur Masters. Allez-y.

Je me penchai au-dessus du clavier et appuyai sur les touches qui formaient le numéro 2997.

Mon cœur battait si violemment que je craignais que Flemming et l'employée n'entendent le bruit de ses pulsations.

La machine se mit à bourdonner. Je restai à attendre sans bouger, le visage moite de sueur, l'œil aux aguets. Puis, je vis un carton blanc glisser dans le plateau.

Flemming et l'employée sourirent.

— Le numéro choisi par vous, dit-il, appartient à Mlle Rima Marshall. Vérifiez vous-même si c'est bien sa fiche

Je tendis la main et pris le carton blanc.

Voilà, ça y était :

*Rima Marshall. Compte. Santa Barbara. Crédit : $ 10 000.*

— Formidable, dis-je en essayant de garder un ton calme. Eh bien, je vous remercie. C'est exactement ce que je cherchais.

Une demi-heure plus tard, dans une voiture en location, je roulais à toute allure sur la route du littoral qui mène à Santa Barbara.

Je me disais que je ne devais pas me montrer trop optimiste. Bien sûr, j'avais restreint le champ de mes recherches et j'étais à peu près certain que Rima devait habiter dans les environs de Santa Barbara; mais il me restait encore à la trouver, et je n'avais plus beaucoup de temps.

J'arrivai à Santa Barbara vers cinq heures et demie.

Je demandai à un agent de la circulation où se trouvait la Pacific Union Bank, et il m'indiqua la route à suivre.

Je roulai lentement devant la banque qui était fermée. C'était une petite succursale. Je garai ma voiture et revins sur mes pas pour examiner les lieux.

Juste en face de la banque, il y avait un petit hôtel où je me rendis après avoir pris ma valise dans la voiture.

C'était un de ces établissements assez minables dont la clientèle se compose surtout de commis voyageurs.

La grosse femme assise au bureau de la réception me tendit un porte-plume pour que je signe le registre, et m'adressa un lugubre sourire de bienvenue.

Je lui demandai si elle avait une chambre donnant sur la rue. Elle me répondit que oui, mais qu'elle me recommandait les chambres de derrière comme étant moins bruyantes.

Je lui dis que le bruit ne me dérangeait pas. Elle me donna une clé, m'indiqua où se trouvait la chambre, et m'annonça qu'on servait le dîner à sept heures.

Ma chambre, propre et simple, manquait de confort, mais je ne m'en souciais guère. Sitôt entré, je gagnai la fenêtre et regardai au-dehors. La banque se dressait juste en face.

Je m'assis sur une chaise près de la fenêtre et examinai la grille qui gardait l'entrée.

Quand Rima venait-elle à sa banque?

Je savais que je n'oserais pas jouer le même tour qui avait si bien réussi à Los Angeles pour me faire communiquer sa fiche. Je savais que si Rima se doutait le moins du monde que j'étais sur sa piste, elle filerait aussitôt et je devrais repartir à zéro.

Si je restais posté à la fenêtre, peut-être que je pourrais la voir : alors, il me serait possible de la suivre et de découvrir où elle habitait.

Je me rendis compte que ça me prendrait pas mal de temps. Comme je devais réintégrer mon bureau le surlendemain matin, je ne pouvais pas rester à l'hôtel plus de vingt-quatre heures. Peut-être aurais-je la veine de repérer Rima avant mon départ. Je décidai de tenter ma chance, tout en n'ayant pas grand espoir qu'elle viendrait à la banque le lendemain.

Je devais éviter de me montrer dans les rues. Si elle me voyait avant que je la voie, mon projet échouerait fatalement. Je décidai de ne courir aucun risque et de rester à l'hôtel.

Je défis ma valise, pris une douche, changeai de linge, puis descendis au salon. Il n'y avait personne. Je passai quelques minutes à consulter l'annuaire des abonnés au téléphone et l'annuaire par rues, dans le cas bien improbable où Rima se trouverait sur l'un ou sur l'autre, mais je fis chou blanc.

Je regagnai ma chambre et m'étendis sur le lit. Je ne pouvais plus rien faire à présent avant l'ouverture de la banque le lendemain matin.

Les heures s'écoulèrent avec lenteur.

Un peu plus tard, je descendis au restaurant pour prendre un triste repas, mal cuisiné et pas très bien servi.

Après dîner, j'allai me coucher.

Le lendemain matin, au petit déjeuner, je dis à la grosse femme que j'avais tout un tas de paperasses à faire et que je me proposais de travailler dans ma chambre.

Elle m'assura qu'on ne me dérangerait pas.

Je regagnai ma chambre, et m'assis à la fenêtre.

La banque ouvrit à neuf heures. De toute évidence, elle ne faisait pas beaucoup d'affaires. Pendant les deux premières heures, je ne vis entrer que cinq clients. Ensuite, il y eut un peu plus d'animation, mais pas beaucoup plus. Je restai à mon poste.

Je ne cessai pas d'espérer jusqu'à ce que la banque ait fermé; à ce moment-là, je me sentis tellement déprimé que j'aurais pu me trancher la gorge.

Je devais partir le lendemain matin, et je savais qu'il

**150**

ne me restait plus à présent la moindre chance de trouver Rima avant l'échéance du second paiement.

Je passai le reste de la soirée à essayer d'imaginer un autre moyen de la trouver, mais je ne pus y réussir.

Ça ne me servirait à rien d'arpenter les rues dans l'espoir de la rencontrer. De plus, ça serait dangereux. Elle pourrait facilement me voir avant que je la voie, et alors elle s'éclipserait.

Soudain, il me vint une idée : pourquoi ne pas me confier à une agence de détectives privés ?

Pendant quelques instants, je fus tellement transporté par mon idée que je faillis descendre l'escalier quatre à quatre pour chercher l'adresse d'une agence dans l'annuaire par professions. Mais j'eus tôt fait de me rendre compte que je n'oserais jamais réaliser ce projet.

*Lorsque j'aurais retrouvé Rima, je la tuerais.*

L'agence se souviendrait de moi et informerait la police que je l'avais chargée de trouver Rima. Après quoi, la police se mettrait à ma recherche.

C'était une affaire entre Rima et moi. Personne ne pouvait m'aider. Il fallait que je me débrouille tout seul.

A ce moment, je me rendis compte que, même si je réussissais à la trouver, il me restait à inventer un moyen de la supprimer sans courir le moindre risque.

Je ne reculais pas devant l'idée de tuer. C'était mon avenir et celui de Sarita contre la vie inutile de Rima. Mais il me faudrait la tuer de façon qu'on ne puisse jamais remonter jusqu'à moi.

Avait-elle confié à quelqu'un qu'elle me faisait chanter ? C'était encore une chose dont je devais m'assurer. Toute cette histoire baignait dans une atmosphère de cauchemar : une difficulté menait à une autre qui menait à une autre encore.

D'abord, il me fallait la trouver.

Ensuite, je devrais me laisser guider par les circonstances en ce qui concernait le meilleur moyen de la tuer.

Enfin, il faudrait que je sois absolument sûr qu'on ne pourrait pas m'inculper du meurtre.

Le lendemain matin, je pris l'avion pour Holland City et entrai dans mon bureau peu de temps après onze heures.

Jack était en train de parler au téléphone. Dès qu'il me vit, il dit à son interlocuteur :

— Je vous rappelle dans dix minutes. J'ai une affaire à régler immédiatement.

Sur ces mots, il raccrocha.

Il me regarda, et je compris aussitôt qu'il était arrivé quelque chose de très grave. Il était pâle et avait les yeux cernés comme s'il n'avait pas dormi de la nuit. Sur son visage habituellement jovial, je vis une expression qui me fit passer un frisson glacé tout le long de la colonne vertébrale.

— Es-tu allé chez toi, Jeff?

— Non, je viens juste d'arriver par avion.

Je posai ma valise et jetai mon imperméable sur une chaise.

— J'ai essayé de te contacter, dit-il d'une voix rauque et mal assurée. Où diable étais-tu?

— Que se passe-t-il?

Il hésita, puis se leva lentement :

— C'est Sarita..

Mon cœur cessa de battre l'espace d'une seconde, puis se mit à cogner violemment.

— De quoi s'agit-il?

— C'est très grave, Jeff. Il est arrivé un accident... J'ai essayé de te toucher dans tous les endroits où je croyais pouvoir te trouver...

A présent, j'étais glacé et je tremblais de tout mon corps.

— Elle n'est pas morte?

— Non, mais elle est grièvement blessée. Un chauffeur ivre est rentré dans sa voiture. Je crains que ça ne soit vraiment très grave, Jeff.

Je restai sur place, les yeux fixés sur lui. Je sentais

**152**

un grand vide dans ma poitrine et j'éprouvais l'impression d'être seul au monde.

— Quand est-ce arrivé?

— Le matin de ton départ. Elle était allée faire des courses. Ce pochard roulait à sa gauche...

— Jack ne me cache rien! Dis-moi exactement dans quel état elle est!

Il contourna le bureau et posa sa main sur mon bras.

— Les médecins font de leur mieux. Il faut attendre : c'est une simple question de temps. Tu ne peux pas la voir. Personne ne peut la voir. Dès qu'il y aura du nouveau, on téléphonera ici. Elle a une chance de s'en tirer, mais c'est une chance assez mince.

— Où se trouve-t-elle?

— A l'hôpital d'Etat. Mais, écoute donc...

Je sortis en courant, passai devant Clara dont le visage était blême, et me ruai dans le couloir jusqu'à l'ascenseur. Je gagnai la rue sans trop savoir comment, puis, j'arrêtai un taxi d'un geste frénétique.

— Hôpital d'Etat, dis-je en ouvrant brusquement la portière. Et, je vous en supplie, faites vite!

Le chauffeur jeta un seul coup d'œil sur mon visage. Ensuite il claqua la portière, embraya, et roula à toute allure dans les rues latérales, évitant de justesse les autres véhicules, tandis que je restais assis. le corps raide, mes poings fermés sur mes genoux.

Je n'arrêtais pas de songer que. pendant que je cherchais Rima, la seule personne qui était tout pour moi en ce monde avait été couchée dans un lit d'hôpital. J'éprouvais alors à l'égard de Rima une haine froide et mortelle.

Le taxi arriva à l'hôpital après dix minutes d'une course rapide, à tombeau ouvert.

Tandis que je payais le chauffeur. il me demanda :

— Votre femme?

— Oui.

Je me mis à gravir les marches du perron trois par trois.

— Bonne chance, mon pote, bonne chance! me
cria-t-il.


## CHAPITRE IV

### I

Le docteur Weinborg était un homme de haute taille,
au dos voûté, au grand nez crochu, à la bouche sensible,
aux yeux sombres et limpides d'un monsieur qui a connu
la souffrance.

Dès que j'avais donné mon nom à l'infirmière du
bureau de réception, elle m'avait conduit immédiatement
au cabinet du docteur. A présent, j'étais assis en face de
lui, et il me disait, de sa voix gutturale :

— C'est une simple question de temps, monsieur
Halliday. J'ai fait tout ce que je pouvais pour votre
femme, du moins pour le présent. Il est regrettable que
vous ayez été en voyage lorsque nous l'avons fait entrer
à l'hôpital. Elle a gardé toute sa connaissance pendant
douze heures, et a demandé à vous voir. Maintenant,
elle est évanouie, et elle ne pourra revenir à elle qu'en
fonction d'un certain nombre de facteurs. Il y a là un
problème dont je veux m'entretenir avec vous. Votre
femme a de graves lésions au cerveau. Il existe un
excellent praticien spécialisé dans les opérations de ce
genre. Une opération du cerveau est toujours dangereuse
et très difficile, mais le docteur Goodyear a beaucoup
de réussites à son actif. Je crois que, avec lui, votre
femme aurait cinquante chances sur cent de s'en tirer.
Les honoraires du docteur Goodyear se monteraient à
trois mille dollars. Naturellement, il y aurait des frais
supplémentaires. Bref, vous devriez prévoir une dépense
de cinq mille dollars, sans garantie de réussite.

154

— Peu importe le prix à payer. Faites venir Goodyear. Dépensez tout ce que vous voudrez.

Il décrocha le téléphone et demanda le domicile de son confrère.

Il lui fallut cinq minutes pour obtenir la communication, et quelques minutes de plus pour convaincre la secrétaire de Goodyear qu'il s'agissait d'un cas très urgent. Mon sang se glaça dans mes veines quand je l'entendis expliquer la nature des lésions de Sarita. Je ne compris pas la moitié de ce qu'il disait, mais ce que je pu comprendre me renseigna mieux que toute autre chose sur la gravité de l'état de ma femme.

La secrétaire dit qu'elle rappellerait, et raccrocha.

— Ça marchera, monsieur Halliday. Le docteur Goodyear n'a jamais refusé d'intervenir dans un cas urgent. Il viendra.

— Pourrais-je la voir?

— Ça ne vous avancerait pas à grand-chose. Elle est sans connaissance.

— Malgré tout, je veux la voir.

Il scruta mon visage, puis fit un signe d'assentiment.

— Suivez-moi.

Après avoir parcouru plusieurs couloirs, franchi des portes battantes, et gravi un escalier, nous arrivâmes à une porte devant laquelle un homme trapu était en train de fumer, assis sur une chaise.

Ce type, qui puait le flic à plein nez, me jeta un coup d'œil indifférent, et dit à Weinborg :

— Je veux parler à la malade dès qu'elle sera revenue à elle. Nous ne pouvons pas garder ce fumier de chauffard éternellement.

— Il vous faudra attendre longtemps, répliqua le médecin.

Puis, il tourna la poignée de la porte et ouvrit le battant.

Je me postai au pied du lit de Sarita et la dévorai des yeux. Elle avait la tête bandée. Le drap était tiré jusqu'à son menton. Elle paraissait toute petite, et son visage d'une pâleur de cire ressemblait à celui d'une morte.

Une infirmière était assise au chevet du lit. Elle se leva, puis regarda le docteur Weinborg auquel elle adressa un léger signe de tête: le code secret entre infirmière et médecin.

Ce fut le pire moment de mon existence. Je restais planté là, les yeux fixés sur Sarita, et j'éprouvais le sentiment instinctif que jamais plus elle ne me regarderait, jamais plus elle ne me parlerait, jamais plus elle ne me tiendrait dans ses bras.

Je regagnai mon appartement, et, juste au moment où j'ouvrais la porte, j'entendis la sonnerie du téléphone.

Je décrochai.

C'était le maire.

— Jeff? J'ai déjà essayé de vous avoir au bout du fil. Jack m'a dit que vous étiez allé à l'hôpital. Comment va-t-elle?

— Toujours pareil. On va faire venir un spécialiste du cerveau. Une opération est nécessaire.

— Hilda et moi, nous pensons à vous tout le temps. Pouvons-nous faire quelque chose pour vous?

D'une voix sans timbre, je le remerciai et lui dis que non. Maintenant, tout dépendait du spécialiste.

— Vous allez avoir besoin d'argent, Jeff. J'ai déjà parlé aux membres du comité. On va vous avancer la moitié de vos honoraires sans plus attendre. Demain, vous aurez trente mille dollars à votre banque. Il faut absolument que nous la sauvions! C'est la femme la plus charmante, la plus exquise...

Je ne pus en entendre davantage.

— Merci, dis-je en l'interrompant, puis je raccrochai.

Je me mis à arpenter la pièce. Au bout d'un certain temps, j'entendis sonner à la porte d'entrée.

C'était Jack.

— Alors? Quelles nouvelles?

Je lui parlai du spécialiste du cerveau.

Il se laissa tomber dans un fauteuil et se frotta les yeux.

— Je n'ai pas besoin de te dire à quel point tout ça me bouleverse. Mais, pour l'instant, parlons boutique. Notre avenir, à tous trois, dépend de ce foutu pont. Voici ce que je te propose. J'ai découvert un jeune gars, frais émoulu de l'université, qui peut prendre ton boulot en main. Tu as mis les choses en train; il n'aura qu'à suivre le programme tracé par toi. Tu vas vouloir rester en contact avec l'hôpital. Ce garçon et moi, nous pouvons faire le travail du bureau pendant un mois. Ça te donnera le temps de te ressaisir et d'être auprès de Sarita. D'accord?

— Oui, si tu es sûr qu'il sera à la hauteur de sa tâche.

— Pour un mois, il pourra se tirer d'affaire. Mais, après ça, il faudra que tu reprennes le collier. Soit dit en passant, Jeff, si tu as besoin d'argent, tu n'as qu'à m'en demander.

— Merci, mon vieux; j'ai ce qu'il me faut.

— Bon, dit-il en se levant. Il me reste encore un boulot monstre à faire. Ne te tourmente pas trop. Tu verras : elle est jeune, elle se tirera d'affaire. Je peux faire quelque chose pour toi?

— Non, merci, Jack. Si tu as besoin de moi, tu me trouveras ici. Je lui ai dit que j'attendrais chez moi. Ça m'a semblé tout à fait inutile d'attendre à l'hôpital.

— Bien sûr. Eh bien!...

Je voyais clairement qu'il était pressé de partir. Si ce qui comptait le plus à mes yeux c'était Sarita, ce qui comptait le plus à ses yeux c'était le pont. Je comprenais ça très bien; mais, à ce moment-là, je me foutais pas mal qu'on construise le pont ou non.

— Ne te frappe pas, Jeff, poursuivit-il en gagnant la porte.

Il s'arrêta un instant pour me regarder et ajouta :

— Est-ce que tu es débarrassé de ces petits ennuis

que tu avais? Puis-je faire quelque chose pour toi de ce côté-là?

— J'ai réglé cette question.

Il inclina la tête et s'en alla.

J'allumai une cigarette, mais je l'écrasai dans le cendrier après deux bouffées.

Dans huit jours, je devais verser à Rima dix mille dollars de plus. Un mois après, il me faudrait lui en donner trente mille. J'étais sûr qu'elle n'en resterait pas là. Elle continuerait son chantage, elle me saignerait à blanc. Avec ce qui m'attendait comme frais d'hôpital et honoraires de médecin, je n'osais pas me défaire de mon argent, et, pourtant, je n'osais pas m'abstenir de la payer. Elle était assez cinglée pour lancer la police à mes trousses; après quoi je me retrouverais dans une cellule à un moment où Sarita avait particulièrement besoin de moi.

J'arpentai la pièce en me demandant ce que je devais faire. Je ne pouvais pas me rendre à Santa Barbara pendant que Sarita était si gravement malade, mais je devais faire quelque chose.

Finalement, je décidai de demander à Rima de m'accorder un délai.

Je lui écrivis une lettre dans laquelle je l'informais de l'accident de Sarita et lui disais que, tant que je ne saurais pas exactement le montant de mes frais, je ne pourrais pas lui donner plus d'argent; plus tard, je m'acquitterais d'une partie de ma dette.

J'ignore pourquoi je m'imaginais qu'elle pourrait se montrer miséricordieuse. Peut-être que je n'avais plus tout mon bon sens, sous l'effet de l'angoisse et de la crainte. Si je m'étais rappelé un seul instant à quel genre de créature j'écrivais, je n'aurais pas envoyé cette lettre. Mais je ne me trouvais pas en état de penser clairement.

Je demandai au concierge de faire partir mon mot le soir même comme lettre exprès. Rima la recevrait le surlendemain si la banque de Los Angeles la faisait suivre immédiatement.

Vers huit heures, je reçus un appel téléphonique de l'hôpital : le docteur Goodyear venait d'arriver, et on me priait de venir tout de suite.

Goodyear était un petit homme gras, au crâne chauve, aux manières brusques.

Il me dit qu'il avait l'intention d'opérer sans plus attendre.

— Je ne veux pas que vous vous fassiez d'illusions, monsieur Halliday. Votre femme est dans un état très grave. L'opération sera difficile. A franchement parler, les chances sont contre elle, mais je ferai de mon mieux. J'estime que vous devriez rester ici.

Les trois heures suivantes furent les plus longues et les plus terribles que j'aie jamais vécues. Vers dix heures Jack vint s'asseoir à côté de moi dans la salle d'attente. Nous n'échangeâmes pas un seul mot. Mathison et sa femme arrivèrent un peu plus tard. Mme Mathison me toucha l'épaule en passant devant moi, puis tous les deux s'assirent pour me tenir compagnie.

A minuit trente-cinq, une infirmière apparut à la porte et me fit signe du doigt.

Personne ne dit rien; mais, tandis que je me levais et traversais la pièce, je compris qu'ils priaient tous pour Sarita.

Dans le couloir, je vis Clara assise sur une chaise, tenant son mouchoir sur les yeux. Appuyés contre le mur, l'air très gêné, se trouvaient le contremaître et quatre gars des équipes des bulldozers. Ils étaient venus pour attendre avec moi, et je vis combien ils semblaient inquiets.

Je suivis l'infirmière jusqu'au cabinet du docteur Weinborg.

Goodyear, qui paraissait vieux et fatigué, fumait une cigarette, son gros derrière reposant sur le bord du bureau. Weinborg se tenait debout à la fenêtre.

— Eh bien, monsieur Halliday, dit Goodyear, l'opération a réussi. Reste à savoir, bien sûr, comment votre femme supportera les suites. Mais je crois pouvoir dire qu'elle vivra.

Quelque chose dans l'atmosphère et dans le ton de sa voix me fit comprendre que je n'avais pas lieu de me réjouir.

— Continuez donc, docteur... qu'avez-vous d'autre à me dire? demandai-je d'une voix rauque.

— Les lésions du cerveau sont considérables, répondit-il d'un ton calme. Je crois que votre femme vivra, mais j'ai le regret de vous dire qu'elle sera toujours infirme.

Il s'arrêta, les sourcils froncés, et détourna son regard de moi.

— Je suis certain que vous voulez savoir toute la vérité. En mettant les choses au mieux, elle sera obligée de passer le reste de ses jours dans un fauteuil roulant. Je redoute que sa faculté de parler ne soit très diminuée, et sa mémoire, semble-t-il, risque aussi de se trouver atteinte.

Il leva les yeux et j'y lus un sentiment de défaite et de tristesse.

— Je suis désolé, monsieur Halliday. Je ne peux rien vous dire qui vous apporte le moindre réconfort, mais, au moins, je suis à peu près certain que votre femme vivra.

Je le regardai fixement

— Vous appelez ça une réussite? dis-je. Elle ne pourra plus marcher, elle aura du mal à parler, et elle ne se souviendra plus de moi... Vous appelez ça une réussite?

— C'est un vrai miracle que le docteur Goodyear lui ait sauvé la vie, déclara Weinborg en se détournant de la fenêtre.

— Sa vie? Quelle espèce de vie? Ne vaudrait-il pas mieux qu'elle soit morte?

Je quittai la pièce et parcourus rapidement le couloir.

Jack se tenait sur le seuil de la salle d'attente. Il me

saisit le bras, mais je me dégageai d'un mouvement brusque, et poursuivis mon chemin.

Je sortis de l'hôpital, me plongeai dans la nuit noire, et continuai de marcher.

J'avais l'idée stupide que, si je ne m'arrêtais pas, je pourrais m'éloigner de ce cauchemar, émerger des ténèbres pour déboucher en pleine lumière, et arriver enfin à la maison où je trouverais Sarita en train de m'attendre comme elle l'avait toujours fait depuis notre mariage.

C'était une idée stupide, sans plus.

## II

Au cours des trois jours suivants, je vécus dans une sorte de vide. Je restai chez moi, en attendant que la sonnerie du téléphone retentisse.

Sarita demeurait entre la vie inconsciente et la mort.

Seul dans l'appartement, je ne désirais voir personne. C'est tout juste si je prenais la peine de manger. Je fumais sans arrêt, assis dans un fauteuil.

De temps à autre, Jack me rendait visite, mais il ne restait que quelques minutes, comprenant que je voulais être seul. Personne ne téléphonait, car tout le monde savait que j'attendais un appel de l'hôpital et que ce serait pour moi un véritable coup de poignard si j'avais quelqu'un d'autre au bout du fil.

La troisième nuit, vers neuf heures, la sonnerie du téléphone retentit.

Je traversai la pièce et décrochai l'appareil.

— Oui? Ici, Halliday.

— Je voudrais te parler.

C'était Rima : impossible de ne pas reconnaître sa voix. Mon cœur fit une embardée, puis se mit à battre violemment.

— Où es-tu?

— Au bar de l'hôtel Aster. Je t'attends. Quand peux-tu venir me rejoindre?

— Tout de suite, dis-je, et je raccrochai.

J'appelai l'hôpital et dis à la standardiste que, si elle avait du nouveau à me communiquer, elle pourrait me téléphoner au bar de l'hôtel Aster.

Il pleuvait.

Je mis mon imperméable, éteignis les lumières, et descendis par l'ascenseur. Une fois dans la rue, je pris un taxi et me fis conduire à l'hôtel Aster, à l'autre bout de la ville.

Pendant le trajet, un sentiment de crainte ne cessa pas de me glacer le cœur. J'étais sûr que Rima n'aurait pas fait ce voyage pour me voir si elle n'avait pas eu quelque chose en tête, quelque chose de profitable pour elle.

L'Aster était le meilleur hôtel de la ville. Déjà Rima changeait sa façon de vivre. Elle faisait bon usage de mon argent. Sans aucun doute, elle était venue pour prélever sa livre de chair.

Je n'oserais jamais m'éloigner d'un appareil téléphonique. Elle pourrait dicter ses conditions et partir, mais il me serait impossible d'essayer de la suivre jusqu'à un endroit propice où je pourrais la réduire au silence. A n'importe quel moment, je pouvais recevoir un appel me demandant de me rendre immédiatement à l'hôpital. J'étais coincé, et elle l'avait probablement deviné : sans ça, elle n'aurait pas couru le risque de me rencontrer.

J'entrai dans le bar de l'Aster. A cette heure, il était presque vide. Trois hommes accoudés au comptoir parlaient à voix basse en buvant des scotches. A une table dans un coin, deux femmes d'âge mûr bavardaient en dégustant des cocktails au champagne. Dans un autre coin se trouvait un homme jeune aux larges épaules, bâti en force, portant une veste de sport de couleur crème, un foulard blanc et rouge, un pantalon de toile vert bouteille, et des souliers en box-calf tête-de-nègre.

Il retint mon attention par la beauté vulgaire et bovine de ses traits. Il ressemblait à un chauffeur de camion enrichi, et il était visiblement mal à l'aise dans l'ambiance d'un hôtel de luxe. Il tenait un verre de whisky dans sa grosse main brune. Son visage empreint d'une sensualité animale avait une expression ahurie.

Je détournai les yeux, et cherchai Rima du regard.

Elle était assise au milieu du bar, isolée par des tables et des chaises vides. J'eus du mal à la reconnaître. Elle portait un manteau noir sur une robe verte, et elle s'était fait teindre les cheveux à la dernière mode : noir et gris. Elle avait l'air extrêmement chic, et semblait aussi froide et dure qu'un bloc de granit.

Certes, elle avait fait bon usage de mon argent.

Je traversai la salle pour aller m'installer sur une chaise en face d'elle.

A ce moment précis, le grand gaillard assis dans son coin, tourna légèrement la tête et fixa les yeux sur moi. Je compris alors que c'était le garde du corps de Rima.

— Bonjour, me dit-elle.

Après quoi, ouvrant son sac en peau de lézard, elle en tira ma lettre qu'elle me jeta de l'autre côté de la table.

— Qu'est-ce que ça veut dire, tes salades ?

Je froissai la feuille de papier et la fourrai dans ma poche.

— Tu as déjà touché dix mille dollars. Il faudra t'en contenter. Pour l'instant, je ne peux pas t'en donner davantage. J'ai besoin de tout l'argent que je possède pour sauver la vie de ma femme.

Elle tira de son sac un mince étui à cigarettes en or, et y prit une cigarette qu'elle alluma avec un briquet Dunhill également en or.

— Dans ce cas, je crois qu'on va aller en taule, nous deux. Je te l'ai déjà dit : je m'en fous complètement d'un côté comme d'un autre. J'aurais cru que tu préférerais rester près de ta femme ; mais, si tu veux aller en taule, je peux arranger ça pour toi.

— Voyons, tu ne parles pas sérieusement. J'ai besoin

de tout mon argent pour soigner ma femme. A la fin du mois, je te donnerai quelque chose. Je ne sais pas combien au juste, mais ce sera toujours quelque chose. Je ne peux pas faire mieux.

Elle éclata de rire.

— Tu vas faire beaucoup mieux que ça, Jeff. Tu vas me donner tout de suite un chèque de dix mille dollars, et, le premier du mois, un autre chèque de trente mille dollars. Ce sont mes conditions. J'ai besoin de cet argent. Si je ne peux pas l'avoir, je suis prête à aller en prison. Si je vais en prison, tu y viendras avec moi.

Je la regardai fixement. Le désir de la détruire qui brûlait en moi dut apparaître clairement sur mon visage, car elle eut soudain un petit rire.

— Oh! je sais! Tu voudrais me tuer, n'est-ce pas? Mais ne te monte pas le bourrichon. Je suis bien trop maligne. Tu vois ce pauvre lourdaud, assis là-bas, vêtu comme un gandin? Il en pince terriblement pour moi. Il me pose pas de questions. Il fait ce que je lui dis de faire. Il ne pige rien à rien, mais c'est un dur. Ne t'imagine pas que tu pourrais te bagarrer avec lui. Il n'est jamais à plus de trois mètres de moi. Tu ne pourras pas me tuer même si tu me trouves, et tu ne seras jamais capable de me trouver. Ote-toi donc cette idée de la tête.

— Tu n'as pas l'air de comprendre ma siuation, dis-je en m'efforçant de parler d'un ton calme. Ma femme a eu un accident grave, et se trouve dans un état critique. Je vais avoir des frais considérables. Tout ce que je te demande, c'est un peu de temps pour te payer. En ce moment-ci, je ne peux pas te donner d'argent et régler en même temps les notes des médecins.

— Vraiment? fit-elle en levant les sourcils et en se renversant sur le dossier de son fauteuil. Bon, dans ce cas, je vais aller trouver la police. Ou bien tu me donnes le fric, ou bien tu vas en taule. A toi de choisir.

— Ecoute, Rima...

— Ecoute-moi, toi! s'exclama-t-elle en se penchant en avant tandis que son visage prenait une expression méchante. On dirait que tu as la mémoire courte! Une petite scène du même genre que celle-ci s'est passée entre nous il y a treize ans. Peut-être que tu l'as oubliée, mais, moi, je m'en souviens. Nous étions assis côte à côte dans une voiture. Tu m'as dit que, si je ne te donnais pas trente dollars, tu allais me livrer à la police. Tu t'en souviens? Tu m'as pris mon sac et tout ce que je possédais. Tu m'as donné des ordres! Tu m'as dit que je devrais travailler pour toi jusqu'à ce que j'aie remboursé l'argent. Je ne l'ai pas oublié! Je t'ai dit que je n'oublierais pas et je n'ai pas oublié! Je me suis promis que, si jamais je te tenais dans la même situation, je n'aurais pas plus pitié de toi que tu n'avais eu pitié de moi! Je me fous complètement de ta femme! Je me fous complètement de toi! Ne perds pas ton temps à me baratiner. Je veux que tu me donnes dix mille dollars immédiatement, et, si tu refuses, je vais aller trouver la police!

J'examinai son visage dégénéré, aux traits durs, et n'y décelai rien qui me parût de nature à allumer dans son cœur une étincelle de pitié. L'espace d'un instant, j'eus la tentation de lui dire d'aller se faire foutre, mais ça ne dura qu'un instant. Rima était une camée. On ne pouvait pas prévoir ses réactions. Je n'osai pas la mettre au défi de tenir parole. Elle pourrait aussi bien aller trouver la police, et, si elle faisait ça, j'étais sûr que les flics seraient à mes trousses quelques heures après sa dénonciation. Je ne pouvais pas me tirer de ce pétrin. Elle me possédait jusqu'à l'os. Il faudrait que je la paie.

Je fis le chèque et le poussai vers elle de l'autre côté de la table.

— Voilà, dis-je (et je fus tout étonné de la fermeté de ma voix). Mais je t'avertis d'une chose. Tu as raison de croire que j'ai l'intention de te supprimer. Un de ces jours, je te trouverai et je te tuerai. Rappelle-toi ça.

Elle eut un petit rire.

— Cesse donc de parler comme un personnage de

mélodrame, et n'oublie pas que je veux trente mille dollars le premier du mois prochain. Si je ne les reçois pas, tu n'auras pas de mes nouvelles, mais tu auras des nouvelles des flics.

Je me levai. Du coin de l'œil, je vis que son petit ami en avait fait autant.

— Tu ne pourras pas m'accuser de ne pas t'avoir avertie, lui dis-je.

Sur ces mots, je fis demi-tour, puis gagnai une des cabines téléphoniques à l'autre bout de la salle. J'appelai l'hôpital et informai la standardiste que je m'apprêtais à rentrer chez moi.

— Ah! monsieur Halliday, voulez-vous conserver l'appareil quelques instants?...

Je me sentais assez à plat, mais l'intonation de sa voix me mit sur le qui-vive.

Je l'entendis parler à voix basse à quelqu'un à côté d'elle, puis elle reprit :

— Monsieur Halliday? Le docteur Weinborg aimerait que vous alliez le voir. Il n'y a pas lieu de vous inquiéter le moins du monde, mais le docteur tient à vous parler le plus tôt possible.

— J'arrive, répondis-je. Et je raccrochai.

Dans la rue, je fis signe à un taxi en maraude, et je demandai au chauffeur de me conduire rapidement à l'hôpital.

Au moment où la voiture s'éloignait du trottoir, j'aperçus Rima et son petit ami qui se dirigeaient vers le parc de stationnement. Elle le regardait en souriant, tandis qu'il la couvait des yeux d'un air avide.

J'arrivai à l'hôpital en moins de sept minutes. On me fit entrer aussitôt dans le cabinet du docteur Weinborg.

Il se leva de derrière son bureau et vint me serrer la main.

— Monsieur Halliday, je ne suis pas satisfait des progrès de votre femme. Elle devrait maintenant manifester des symptômes d'amélioration, mais, pour parler franc, il n'en est rien. N'interprétez pas mal mes paroles. Son etat ne s'est pas aggravé, mais il ne s'est pas non plus amélioré, or, dans des cas de ce genre, nous attendons une amélioration trois ou quatre jours après l'opération.

Je voulus répondre, mais mes lèvres étaient si sèches que les mots refusèrent de sortir. Je me contentai de le regarder fixement, attendant la suite.

— J'ai parlé au docteur Goodyear. Il suggère que le docteur Zimmermann examine votre femme.

— Qu'est-ce qui lui fait croire que ce docteur Zimmermann peut faire mieux que lui?

Weinborg promena un coupe-papier autour de son bureau.

— Le docteur Zimmermann est le meilleur spécialiste des nerfs cérébraux, monsieur Halliday. Il...

— Je croyais que c'était aussi le cas du docteur Goodyear.

— Le docteur Goodyear est un chirurgien du cerveau, expliqua Weinborg patiemment. Il ne traite pas les cas post-opératoires. D'habitude, dans les cas difficiles, le docteur Zimmermann prend sa suite.

— En somme, il arrange ce que l'autre a bousillé.

Le docteur Weinborg fronça les sourcils.

— Je comprends votre état d'esprit, monsieur Halliday, mais ce que vous venez de dire me paraît assez injuste.

— En effet, c'est possible...

Brusquement, je me laissai tomber sur un siège. Je me sentais épuisé, battu à plate couture.

— C'est bon, faites venir le docteur Zimmermann.

— Ce n'est pas aussi simple que ça. Le docteur Zimmermann n'accepte de traiter un malade que si le malade se trouve dans sa clinique de Holland Heights. Je crains que tout ceci ne vous coûte cher, monsieur Halliday; mais, d'autre part, je suis persuadé que si votre femme entrait à la clinique du docteur Zimmermann, elle aurait toutes les chances de se rétablir.

— Ce qui est une façon détournée de dire que, si elle reste ici, elle aura beaucoup moins de chances.

— C'est exact. Le docteur Zimmermann...

— Combien cela me coûtera-t-il?

— Vous discuterez cette question avec le docteur Zimmermann lui-même. Je pense qu'il faut compter trois cents dollars par semaine. Le docteur Zimmermann s'occuperait personnellement de votre femme.

Je levai les mains en l'air d'un geste désespéré. Cette affaire semblait se dérouler sans fin et creusait des brèches successives dans mon revenu.

— C'est bon, faites-la examiner par le docteur Zimmermann. Quand il sera ici, je lui parlerai.

— Il sera ici demain matin à onze heures.

Avant de regagner mon appartement, j'allais voir Sarita. Elle était toujours sans connaissance. J'emportai d'elle une image qui m'anéantit.

Une fois de retour au logis, je vérifiai ma situation financière. En raison des frais supplémentaires qui m'attendaient, il me serait impossible de donner d'autre argent à Rima. J'avais quatre semaines devant moi pour la retrouver et la réduire au silence. Il fallait que je le fasse, même si je devais pour cela quitter Sarita pendant quelques jours.

Le lendemain matin, je rencontrai le docteur Zimmermann. C'était un homme d'âge mûr, au visage maigre, aux yeux perçants, au comportement calme et confidentiel. Il me plut tout de suite.

— Monsieur Halliday, me dit-il, je viens d'examiner votre femme. Sans aucun doute, elle doit entrer dans ma clinique. Là, je suis sûr de pouvoir améliorer sérieusement son état. L'opération a réussi, mais certains nerfs sont endommagés. Je crois pourtant être à même de leur porter remède. Dans trois ou quatre mois, quand elle aura repris des forces, je conseillerai au docteur Goodyear de pratiquer une autre intervention. Je crois que, à nous deux, nous pourrons certainement sauver sa mémoire, et peut-être même lui permettre de remarcher; mais il faut la transporter dans ma clinique sans plus attendre.

— Combien cela me coûtera-t-il?

— Trois cents dollars par semaine pour une chambre individuelle. En comptant les soins divers, mettons trois cent soixante-dix dollars.

— Et la deuxième opération?

— Je ne saurais vous dire exactement, monsieur Halliday. Pour ne pas risquer de nous tromper, mettons trois ou quatre mille dollars.

A présent, je me moquais de tout.

— Allez-y, dis-je.

Puis, j'ajoutai après un silence :

— J'aurai besoin de quitter la ville pour quatre ou cinq jours. Quand estimez-vous que je pourrai partir sans avoir rien à craindre pour ma femme?

Il me lança un regard surpris.

— Il est un peu tôt pour me prononcer. Je serai mieux à même de vous renseigner dans deux semaines. Jusque-là elle restera sur la liste des cas douteux.

Il me fallut donc attendre deux semaines.

Je revins au bureau et trimai comme un forçat pour m'avancer dans ma besogne : ainsi, quand on me dirait que tout danger était écarté, je serais libre de me remettre à la recherche de Rima.

Ted Weston, le garçon que Jack avait embauché pour me relayer, était plein de zèle et digne de confiance. Quand je lui aurais tracé un programme, je ne doutais pas qu'il ne fût capable de l'exécuter.

Très lentement, la santé de Sarita commença à s'améliorer. Chaque semaine, je déboursai trois cent soixante-dix dollars. Mon compte en banque diminuait. Mais je ne regrettais pas mon argent, car j'étais persuadé que, seul, le docteur Zimmermann pourrait la tirer d'affaire.

Finalement, je reçus un appel téléphonique.

Le docteur Zimmermann en personne me parla au bout du fil.

— Vous voulez partir pour un voyage d'affaires, monsieur Halliday? Je crois pouvoir vous le permettre. L'état de votre femme s'est nettement amélioré. Elle n'a pas encore repris connaissance, mais elle est beaucoup plus forte, et vous pouvez vous en aller sans la moindre inquiétude. Il serait prudent de me faire savoir où je pourrais vous toucher en cas de rechute. Non pas que j'en prévoie une, mais il vaut mieux prendre ses précautions.

Je lui dis que je lui donnerais mon adresse; puis, après avoir ajouté quelques mots, je raccrochai.

Je restai sur place, les yeux fixes dans le vide, le cœur battant à tout rompre, et je sentis grandir en moi un sentiment de triomphe. Enfin, après ces horribles, ces interminables semaines, j'allais pouvoir me remettre en chasse.

Il me restait treize jours pour retrouver Rima avant l'échéance du paiement des trente mille dollars.

J'étais en avance sur mon travail. Je pouvais partir sans infliger à Jack un surcroît de besogne.

Le lendemain matin, je pris un avion pour Santa Barbara.


## CHAPITRE V

### I

La grosse femme de l'hôtel qui faisait face à la Pacific Union Bank me reconnut pendant que je gagnais le bureau de la réception.

Elle m'adressa son lugubre sourire de bienvenue, en me disant :

— Je suis très contente de vous revoir, monsieur Masters. Si vous voulez la même chambre, elle est libre.

Je répondis que je voulais bien, prononçai quelques phrases sur le temps qu'il faisait et ajoutai, d'un ton détaché que, ayant beaucoup de travail à faire, je ne quitterais pas ma chambre pendant les trois jours où j'allais rester là.

Il était une heure vingt. J'avais apporté un paquet de sandwiches et une demi-bouteille de scotch, et je m'installai à la fenêtre.

C'était, semblait-il, l'heure d'affluence pour la banque. Plusieurs clients entrèrent et sortirent, mais je ne vis pas Rima. Je savais que je jouais un coup très hasardeux. Peut-être n'allait-elle à la banque qu'une fois par semaine ou même une fois par mois; mais je ne réussissais pas à imaginer un autre moyen de la repérer.

Après la fermeture des bureaux, je descendis au salon et appelai la clinique du docteur Zimmermann. J'indiquai à la standardiste le numéro de téléphone de l'hôtel et lui dis que, comme je serais sorti presque tout le temps, je la priais de bien vouloir, éventuellement, demander à parler à mon ami M. Masters qui me transmettrait n'importe quel message.

Elle me répondit que je pouvais compter sur elle, et ajouta que Sarita reprenait régulièrement des forces.

Un vent froid soufflait en tempête; il y avait de la pluie dans l'air. J'enfilai mon imperméable, en relevai le col, rabattis mon chapeau sur les yeux, et sortis dans la rue.

Je savais que c'était dangereux, mais l'idée de passer le reste de la soirée dans cet hôtel sinistre était plus que mes nerfs tendus n'en pouvaient supporter.

Avant que je sois allé bien loin, la pluie se mit à tomber. J'entrai dans une salle de cinéma et vis un lamentable western de cinquième ordre avant de revenir à l'hôtel pour dîner. Ensuite, je montai me coucher.

Le lendemain, je suivis exactement le même emploi du temps : je passai toute la journée à ma fenêtre sans voir Rima, et la soirée dans une salle de cinéma.

Ce soir-là, en rentrant à l'hôtel, j'éprouvai un accès

de panique. Mon voyage allait-il être un échec? Je n'avais plus que onze jours pour retrouver Rima, et ces onze jours pouvaient fort bien ressembler à ceux que je venais de passer.

Je me couchai, mais je ne réussis pas à m'endormir. Vers une heure moins vingt, incapable de rester étendu plus longtemps dans cette chambre où j'étouffais, je me levai, m'habillai, et descendis dans le hall mal éclairé.

Le gardien de nuit, un vieux nègre tout ensommeillé, cligna des paupières d'un air ahuri quand je lui dis que j'allais faire une promenade sous la pluie.

Grommelant des paroles indistinctes, il ouvrit la porte et me laissa sortir.

Quelques bars et deux ou trois dancings étaient encore ouverts. Leurs enseignes au néon projetaient des dessins rouges et bleus sur le trottoir humide.

De jeunes couples passaient, bras dessus, bras dessous, vêtus d'imperméables en matière plastique, insoucieux de la pluie. Un flic solitaire se tenait en équilibre au bord du trottoir, reposant ses pieds endoloris.

Je me dirigeai vers la mer, les mains profondément enfoncées dans les poches de mon imperméable, éprouvant une certaine détente à lutter contre le vent glacial et la pluie.

J'arrivai à un des nombreux restaurants où l'on servait uniquement des poissons et des coquillages. Il était construit sur pilotis au-dessus de l'eau. A l'extérieur se trouvait une longue file de voitures en stationnement, et j'entendais des airs de musique de danse. Je m'arrêtai pour regarder la longue passerelle qui menait à la porte battante.

Au moment où j'allais me remettre en route, un grand gaillard sortit du restaurant et courut dans ma direction le long de l'appontement de bois, baissant la tête à cause de la pluie.

Comme il passait sous une des lampes suspendues en

**172**

l'air, je reconnus le veston de sport de couleur crème et le pantalon de toile vert bouteille.

C'était le petit ami de Rima!

Sans la pluie qui tombait à verse, et s'il n'avait pas couru tête baissée, il aurait dû me voir et peut-être me reconnaître.

Je lui tournai vivement le dos, tirai mon paquet de cigarettes de ma poche, et fis semblant d'en allumer une en plein vent.

Puis je me retournai à demi pour l'observer.

Penché au-dessus d'une Pontiac décapotable, il fouillait à tâtons dans la boîte à gants. Je l'entendais jurer à voix basse. Ayant enfin trouvé ce qu'il cherchait, il fit volte-face et regagna le restaurant au galop.

Je le regardai s'éloigner. Ensuite, je me dirigeai vers la Pontiac d'un pas nonchalant pour l'examiner. Elle datait de 1957 et n'était pas en très bon état. Je jetai un coup d'œil à droite et à gauche. Il n'y avait personne en vue. D'un geste rapide, je saisis la plaque de propriétaire fixée au volant et allumai mon briquet. Je lus le nom et l'adresse suivants :

*Ed. Vasari.*
*The Bungalow.*
*East Shore. Santa Barbara.*

Je m'écartai de la voiture, puis gagnai un café en face du restaurant. A une extrémité de la salle se trouvaient quatre fillettes entre quatorze et seize ans en train de boire des Coca-Cola.

Une serveuse à l'air fatigué vint vers moi d'un pas traînant. Je lui commandai un café

Rima était-elle avec cet homme? Habitait-elle avec lui à cette adresse?

Je restai assis à fumer et à remuer ma cuiller dans ma tasse, sans jamais quitter des yeux la Pontiac de l'autre côté de la chaussée. La pluie se fit plus forte et crépita contre la vitre.

Les quatre fillettes commandèrent une autre tournée de Coca-Cola. L'une d'elles, une blonde à l'air impertinent et averti, vêtue d'un blue-jeans collant et d'un sweater qui mettait en relief ses formes encore enfantines, vint de mon côté et mit quelques pièces de monnaie dans l'appareil à disques.

Les Platters firent entendre leurs voix gémissantes et les fillettes reprirent la chanson en chœur.

A ce moment, je les vis tous les deux.

Ils sortaient du restaurant au pas de course. Vasari abritait Rima sous un parapluie. Ils s'engouffrèrent dans la Pontiac qui démarra aussitôt. Tout cela se passa si vite que je les aurais sûrement ratés si je n'avais pas fait le guet avec tant d'attention.

Sans boire mon café, je payai la serveuse et sortis dans le noir, sous la pluie battante.

En proie à une froide exaltation, j'étais bien décidé à ne pas perdre de temps.

D'un pas rapide, je me rendis à un garage ouvert toute la nuit que j'avais repéré en venant de l'hôtel. Après une brève conversation avec un des employés, je louai une Studebaker, payai le dépôt de garantie, et, pendant qu'il faisait le plein d'essence, je lui demandai d'un ton détaché où se trouvait East Shore.

— Tournez à droite, et puis suivez le bord de mer, me dit-il. C'est à cinq kilomètres d'ici environ.

East Shore était une plage d'un kilomètre et demi de long. Des deux côtés de la route se dressaient trente à quarante maisonnettes en bois. La plupart étaient plongées dans les ténèbres, mais des lumières brillaient çà et là.

Je me mis à rouler au ralenti, regardant chaque maisonnette avec la plus grande attention.

Dans les ténèbres, je ne pus rien voir qui indiquait un bungalow. Juste au moment où je commençais à croire que je devrais quitter la voiture et revenir à pied sur mes pas en me livrant à un examen plus serré, j'aperçus devant moi une lumière provenant d'une maison beaucoup plus isolée.

Je roulai dans sa direction; puis, me sentant bien sûr que ce devait être l'endroit cherché, je m'arrêtai à l'écart de la route, éteignis les phares, et descendis de la Studebaker.

La pluie, chassée par un fort vent de mer, me fouettait le visage, mais je ne m'en souciais guère.

Je marchai vers la fenêtre éclairée, et, à mesure que j'en approchais, je vis qu'il s'agissait bien d'un bungalow.

Je m'arrêtai devant la porte en bois à deux battants. La Pontiac était dans l'allée menant à la maison. Je jetai un coup d'œil sur la route dans les deux sens, mais je n'y discernai aucun signe de vie.

Avec circonspection, j'ouvris la porte et remontai l'allée.

Un chemin bétonné entourait le bungalow. Je le suivis jusqu'à la fenêtre éclairée.

Mon cœur cognait dur lorsque je m'en approchai et que je jetai un regard à l'intérieur.

La pièce, assez grande, était meublée convenablement. Il y avait quelques fauteuils confortables mais usés, et, sur les murs, des gravures modernes de couleur vive. Dans un coin se trouvait un poste de télévision; dans un autre, un bar très bien garni.

Je vis tout cela d'un seul coup d'œil, puis mon regard se posa sur Rima.

Avachie dans un fauteuil bas, la cigarette aux lèvres, elle tenait un verre de whisky à la main. Elle portait un peignoir vert si mal fermé que je pouvais voir ses longues jambes minces croisées. Elle en agitait une nerveusement tout en regardant le plafond.

Soudain, la porte s'ouvrit, et Vasari entra.

Nu jusqu'à la taille, il portait un pantalon de pyjama. Son énorme poitrine était couverte de poils noirs et rudes; ses muscles formidables bougeaient sous sa peau bronzée tandis qu'il se frottait la nuque avec une serviette.

Il lui dit quelques mots, et elle leva les yeux sur lui d'un air hostile. Elle acheva de boire son whisky, posa son verre, se leva. L'espace d'un instant, elle resta debout à s'étirer, puis elle sortit de la pièce en passant devant lui.

Il éteignit la lumière, et je me trouvai en train de contempler mon vague reflet sur la vitre trempée de pluie.

Je quittai mon poste d'observation.

Un peu plus loin, une autre fenêtre venait de s'éclairer, mais elle était cachée par un store.

J'attendis.

Au bout de quelques secondes, la lumière s'éteignit. Tout le bungalow était maintenant plongé dans le noir.

Je retournai à la Studebaker aussi silencieusement que j'étais venu.

Je me mis au volant, démarrai, et regagnai l'hôtel lentement.

Pendant que je conduisais, mon cerveau ne demeurait pas inactif.

J'avais enfin trouvé Rima!

Mais il restait encore beaucoup de difficultés en perspective. Vasari savait-il qu'elle me faisait chanter? Une fois que je me serais débarrassé d'elle, faudrait-il que je me bagarre avec lui?

Ce fut alors, tandis que je roulais dans la nuit sombre et pluvieuse, que je me rendis compte de ce que je me proposais de faire : j'allais assassiner Rima! La peur glaça le sang dans mes veines. Ç'avait été facile de me dire que je devrais la réduire au silence quand je l'aurais repérée, mais, maintenant que je l'avais effectivement trouvée, tout mon corps se couvrait d'une sueur froide à la seule idée d'entrer dans la maison et de la tuer.

J'écartai cette pensée de mon esprit. Il fallait agir. D'abord, je devrais me débarrasser de Vasari. Tant qu'il se trouverait sur les lieux, je ne parviendrais pas à liquider Rima. Je conclus que je devais surveiller le bunga-

low pendant deux jours, pour découvrir ce qu'ils faisaient, comment ils vivaient, et si Vasari la laissait seule
quelquefois.

Cette nuit-là, je ne dormis pas beaucoup.

La pensée de ce que j'avais à faire m'oppressait
comme un cauchemar.

## II

Le lendemain matin, à sept heures et demie passées,
je repartais en voiture pour East Shore.

J'étais certain de pouvoir approcher du bungalow
sans aucun risque à cette heure-là, car ni Vasari ni Rima
ne devaient être matinaux.

Je passai très vite devant la maison. Les stores étaient
baissés et la Pontiac se trouvait toujours dans l'allée.

Sous la dure lumière du soleil le bungalow avait
piètre apparence : le type même de la villa de vacances,
louée tous les ans par un propriétaire qui ne prenait
jamais la peine de la visiter ni de la faire repeindre.

Au-delà de la bâtisse s'élevaient des dunes de sable.
Après avoir roulé pendant quelques centaines de mètres
sur la route qui longeait la plage, je laissai ma voiture
derrière un écran de buissons et revins à pied vers le
bungalow.

A cent mètres de la maison une rangée de dunes
m'offrait un excellent abri qui me permettait de voir
sans être vu.

J'avais apporté des jumelles puissantes que j'avais eu
la chance de pouvoir emprunter au patron de mon
hôtel.

Je m'installai confortablement. En creusant un peu le
sable avec mes mains, je pus me coucher sur le flanc
de la dune et appuyer mes jumelles sur son faîte.

J'observai le bungalow pendant plus d'une heure sans
déceler le moindre signe de vie.

A neuf heures moins vingt, une vieille bagnole toute

**177**

cabossée arriva en cahotant sur la route et s'arrêta devant la porte. Une femme en sortit, puis remonta l'allée. Je l'examinai à l'aide de mes jumelles, si puissantes que je pouvais distinguer sur son visage les plaques de poudre aux endroits où elle en avait trop mis.

Je supposai que c'était la femme de ménage qui venait faire son travail quotidien. Je la vis plonger deux doigts dans la fente de la boîte aux lettres et y pêcher une longue ficelle au bout de laquelle se trouvait une clé. Ensuite, elle ouvrit la porte et entra dans le bungalow.

J'étais récompensé de ma longue attente. Je savais maintenant comment pénétrer dans la maison s'il m'en prenait envie.

De temps en temps, derrière la grande fenêtre, je voyais la femme de ménage se déplacer dans le salon, poussant devant elle un aspirateur. Au bout de quelques minutes, elle débrancha son appareil et disparut.

Le temps passa lentement.

Vers onze heures et demie, la porte s'ouvrit et Vasari se montra. Il s'immobilisa sur le seuil, les yeux fixés sur le ciel, exerçant ses muscles, respirant l'air frais du matin. Il portait un pantalon de toile bleue et une chemisette de coton à manches courtes. Sa carrure massive faisait de lui un garde du corps impressionnant.

Il se rendit à la Pontiac, vérifia le niveau d'eau et d'huile, puis regagna le bungalow.

Je dus attendre jusqu'à midi pour voir Rima. Elle vint sur le pas de la porte et regarda le ciel. Ça me donna un léger choc de braquer mes jumelles sur son visage pâle, aux yeux cernés, que le fard transformait en un masque peint en rouge. Elle avait une expression maussade. Elle monta dans la Pontiac et claqua la portière d'un geste de mauvaise humeur.

Vasari sortit du bungalow, portant des peignoirs de bain et des serviettes de toilette. La femme de ménage vint à la porte. Il lui dit quelques mots et elle fit un

**178**

signe de tête affirmatif. Après quoi, il se mit au volant et démarra.

Je suivis la voiture avec mes jumelles. Elle se dirigeait vers l'ouest de la ville où se trouvaient les clubs de plage rupins.

Quelques minutes plus tard, la femme de ménage sortit, ferma la porte d'entrée, laissa tomber la clé dans la boîte aux lettres, monta dans son tacot, et s'éloigna.

Je n'hésitai pas un seul instant. Je ne pouvais pas manquer une si belle occasion. Peut-être Rima gardait-elle dans le bungalow le revolver qui avait tué le gardien. Si je pouvais mettre la main dessus, mon cas deviendrait beaucoup moins grave.

Avant de quitter ma cachette, j'examinai la route et la plage avec attention. Il n'y avait personne en vue. Je sortis de derrière les dunes, puis gagnai le bungalow d'un pas rapide.

J'ouvris la porte et remontai l'allée. Pour ne courir absolument aucun risque, je sonnai, tout en sachant fort bien que la maison était vide. Après avoir attendu quelques minutes, je pêchai la clé et ouvris la porte. Une fois dans le petit vestibule, je m'arrêtai pour écouter. Il n'y avait pas d'autre bruit que le tic-tac diligent d'une horloge, et, dans la cuisine, le clapotis de l'eau qui tombait goutte à goutte d'un robinet défectueux.

Le salon se trouvait à ma droite. A ma gauche, un petit couloir conduisait aux chambres à coucher.

J'allai jusqu'à son extrémité, ouvris une porte, et jetai un coup d'œil dans une pièce qui devait être le cabinet de toilette de Vasari. Il y avait un pantalon de toile soigneusement plié sur une chaise, et un rasoir électrique sur la table de toilette. Je gagnai la porte suivante, l'ouvris et entrai.

Près de la fenêtre se trouvait un lit à deux personnes. La table de toilette était couverte de produits de beauté. Un peignoir de soie vert pendait à la porte.

C'était la chambre que je voulais. Je fermai la porte à demi, puis gagnai la commode dont j'examinai rapi-

**179**

dement le contenu, en prenant soin de ne rien déranger.

Rima s'était livrée à une orgie d'achats avec mon argent. Les tiroirs débordaient de dessous en nylon, d'écharpes, de mouchoirs, de bas, etc. Je ne trouvai pas le revolver.

Je consacrai alors mon attention au placard. Il renfermait une douzaine de robes sur des portemanteaux. Par terre se trouvaient plusieurs paires de souliers. Sur la dernière étagère, j'aperçus une boîte en carton attachée avec un bout de ficelle. Je m'en emparai et l'ouvris. Elle contenait des lettres et plusieurs photos (sur la plupart desquelles on voyait Rima avec ses cheveux d'argent) prises dans les studios de cinéma.

La lettre sur le haut de la pile attira mon attention. Elle datait de trois jours. Je la tirai de la boîte et me mis à la lire.

> *234, Castle Arms.*
> *Ashby Avenue.*
> *San Francisco.*

*Ma chère Rima,*

*Hier soir, j'ai rencontré Wilbur par hasard. On l'a libéré sur parole, et il te cherche. Il a recommencé à se droguer, et il est dangereux. Il m'a dit que s'il te trouvait il te tuerait. Donc, fais gaffe. Je lui ai dit que je te croyais à New York. Il est encore ici, mais j'espère qu'il partira pour New York. Dans ce cas, je te le ferai savoir. De toute façon, tiens-toi loin de San Francisco. Il me donne la chair de poule, et il a vraiment l'intention de te supprimer.*

*Je me dépêche pour faire partir cette lettre au prochain courrier.*

> Clare.

J'avais complètement oublié l'existence de Wilbur.

Dans un éclair, je me rappelai le bistrot de Rusty. Je revis la porte s'ouvrir violemment pour livrer passage à cette figure de cauchemar. Dangereux? Le mot me semblait faible. Cette nuit-là, il m'avait paru aussi redoutable qu'un cobra quand il s'était dirigé, couteau en main, sur Rima blottie dans son box.

Ainsi, il venait de sortir de prison au bout de treize ans, et il cherchait Rima.

Quand il l'aurait trouvée, il la tuerait.

J'éprouvai une sensation d'immense soulagement. Peut-être que j'avais enfin découvert le moyen de me tirer d'affaire, la solution de mon problème.

Je copiai sur mon carnet l'adresse de la correspondante de Rima; après quoi, je replaçai la lettre dans la boîte et la boîte dans le placard.

Puis, je me remis en quête du revolver.

Je le trouvai par le plus grand des hasards. Il était accroché par une ficelle dans une des robes de Rima. Je le sentis sous ma main en repoussant avec impatience toute la rangée des robes pour regarder derrière.

Je dénouai la ficelle et m'emparai du revolver.

C'était un calibre 38, Spécial Police, et il était chargé. Je le glissai dans ma poche-revolver, refermai le placard, et regardai tout autout de la pièce pour m'assurer que je n'avais laissé aucune trace de mon passage. Puis, je gagnai la porte.

Au moment où j'ouvrais le battant, j'entendis une voiture s'arrêter à l'extérieur du bungalow.

Je bondis vers la fenêtre, le cœur battant à tout rompre. J'arrivai à temps pour voir Rima sortir de la Pontiac. Elle remonta l'allée en courant, et je l'entendis fouiller dans la boîte aux lettres.

Tandis que la clé grinçait dans la serrure, je sortis vivement de la chambre sans faire de bruit. Je m'arrêtai dans le couloir l'espace d'un instant, puis je pénétrai dans le cabinet de toilette de Vasari dont je poussai la porte au moment où la porte d'entrée s'ouvrait.

Rima passa rapidement devant ma cachette et entra dans sa chambre.

Je me collai contre le mur, de sorte que, si Vasari

181

venait à ouvrir, le battant de la porte me cacherait à sa vue. Les nerfs tendus, la peur au ventre, je sentais mon cœur cogner furieusement.

Vasari entra dans le vestibule d'un pas lourd. Au bout d'un instant, il passa dans le salon où Rima vint le rejoindre quelques minutes plus tard.

— Ecoute, mon chou, dit-il d'une voix plaintive, tu peux donc pas laisser tomber ta drogue? Bon sang de bonsoir! Aussitôt qu'on s'en va quelque part, faut que tu reviennes ici au galop pour une piquouse.

— Oh! ta gueule! répliqua Rima, dont la voix avait une intonation dure et méchante. Mets-toi bien dans le crâne que je fais ce que je veux.

— D'accord, ma poupée. Mais pourquoi que t'emportes pas ta came avec toi, puisque tu peux pas t'en passer? Tu nous as gâché toute la journé!

— Je t'ai dit de la fermer, non?

— Je t'ai entendue. T'arrêtes pas de me le répéter. Je commence à en avoir marre.

Elle éclata de rire.

— Celle-là est bien bonne! Et qu'est-ce que tu comptes faire à ce sujet?

Il y eut un long silence. Ensuite Vasari demanda :

— Qui c'est ce mec à qui tu tires du fric? Ça me tracasse. Qu'est-ce qu'il est pour toi?

— Rien du tout. Il me doit de l'argent, et il me paie ce qu'il me doit. Et maintenant, ne me parle plus de ce type, tu veux?

— Mais comment ça se fait qu'il te doit du fric, mon chou?

— Ecoute, si tu ne veux pas la boucler, tu peux foutre le camp. Tu as entendu?

— Attends un peu, fit-il d'une voix dure. J'ai déjà assez d'emmerdements comme ça. Je te dis que ce mec me tracasse. J'ai idée que tu le fais chanter, et ça, vois-tu, je suis contre.

— Vraiment? répliqua-t-elle d'un ton sarcastique.

Mais ça t'est bien égal de voler, non? Ça t'est bien égal d'assommer un vieux bonze et de lui soulever son paquet, non?

— Ecrase! Si on me pinçait pour ça, j'en prendrais pour un an; mais le chantage... non, merde! On écope facilement de dix ans!

— Qui est-ce qui parle de chantage? Je t'ai dit : ce type me doit de l'argent.

— Si je pensais que tu le fais chanter, la môme, je te plaquerais!

— Toi, me plaquer? Laisse-moi me marrer! Fais gaffe, Ed. On peut être deux à faire des menaces. Qu'est-ce qui m'empêcherait de téléphoner aux flics pour leur dire où tu es? Oh! non, tu ne me plaqueras pas!

Il y eut un long silence pendant lequel j'entendis le tic-tac de l'horloge.

Puis Vasari reprit, d'un ton embarrassé :

— Tu dis toujours des bêtises après une piquouse. Oublie tout ça. Du moment que tu sais ce que tu fais... Tu ferais tout de même pas du chantage, hein, mon chou?

— Je ne dis pas de bêtises! répliqua-t-elle d'un ton sec. Si ma façon de vivre te déplaît, tu n'as qu'à foutre le camp! Je peux me passer de toi, mais je suis bougrement sûre que tu ne peux pas te passer de moi!

— Ce mec me tracasse, Rima, dit-il d'une voix hésitante. Il te donne des tas de fric, non? Comment ça se fait qu'il te doit tout ça?

— Boucle-la pour ce qui est de ce type! Tu as entendu ce que je t'ai dit : tu veux foutre le camp ou tu veux rester?

— Je veux pas foutre le camp, ma poupée. Je t'aime. Du moment que je sais que tu ne nous prépares pas une sale histoire, ça m'est égal.

— Il n'y aura pas la moindre histoire. Viens m'embrasser.

— T'es sûre qu'y aura pas de pétard? Et si ce mec...

— Viens m'embrasser.

J'ouvris la porte sans bruit et sortis de la pièce. J'entendis Rima gémir doucement tandis que je suivais le couloir en direction de la cuisine. De la cuisine, je passai dans la véranda, puis regagnai en courant le couvert des dunes.

A nouveau je m'étendis sur le sable et observai le bungalow. Je dus attendre jusqu'après quatre heures pour les voir sortir de la maison et monter dans la Pontiac. Quand ils se furent éloignés, je me relevai.

Ma foi, au bout du compte, j'avais le revolver. Je venais d'apprendre que Vasari n'avait rien à voir avec le chantage de Rima : je pouvais être certain qu'elle n'avait raconté à personne ce qu'elle savait sur moi. Je venais d'apprendre également que Wilbur n'était plus en prison et cherchait à la retrouver.

Mon problème se simplifiait : si je réussissais à mettre la main sur Wilbur et à lui dire où se trouvait Rima, il la liquiderait à ma place.

Il restait encore certaines difficultés. Si elle s'apercevait de la disparition du revolver, quitterait-elle le bungalow, dans un accès de panique, pour aller se cacher ailleurs? Je décidai qu'il y avait de très fortes chances pour qu'elle ne découvre pas que j'avais emporté son arme. Combien de temps avait-elle l'intention de demeurer dans le bungalow? C'est ce que je devais apprendre le plus tôt possible. Il me faudrait un certain temps pour dénicher Wilbur. Je devais m'assurer que Rima serait encore au même endroit quand j'aurais mis la main sur lui.

Je regagnai mon hôtel. Je téléphonai au plus gros agent de locations immobilières et lui dis que je m'intéressais au bungalow d'East Shore. Savait-il quand la maison serait libre? Il me répondit qu'elle était louée pour six mois. Je le remerciai et lui promis d'aller le voir pour lui demander s'il avait autre chose à m'offrir. Ensuite, je raccrochai.

Si Rima ne s'apercevait pas de la disparition de son revolver, elle resterait dans le bungalow tout le temps nécessaire. Je n'avais plus qu'à retrouver Wilbur.

Je téléphonai à la clinique pour demander des nouvelles de Sarita. L'infirmière me dit que son état continuait à s'améliorer et que je ne devais avoir aucun motif d'inquiétude. Je lui expliquai que je partais pour San Francisco et que je lui ferais savoir où elle pourrait me toucher. Puis, je réglai ma note à l'hôtel, ramenai la Studebaker au garage, et pris le premier train pour San Francisco.

Je possédais fort peu d'éléments pour commencer mes recherches : le prénom d'une femme, son adresse, et la certitude qu'on avait vu Wilbur dans la ville.

C'était tout, mais, avec un peu de chance, ça pouvait être suffisant.

Je pris un taxi et demandai au chauffeur de me conduire à un hôtel près d'Ashby Avenue.

Il me répondit qu'il y avait trois hôtels dans Ashby Avenue même : à son avis, le Roosevelt était le meilleur. Je lui dis de me conduire au Roosevelt.

Après avoir rempli ma fiche et fait porter ma valise dans ma chambre, je sortis de l'hôtel et passai devant le Castle Arms.

C'était un énorme bloc d'appartements qui avait connu des jours meilleurs. A présent, tous ses cuivres étaient ternis et la peinture s'écaillait par endroits.

J'aperçus le portier qui prenait l'air devant l'entrée principale. C'était un petit homme vêtu d'un uniforme élimé et, ce jour-là, il avait oublié de se raser : le genre de type qui serait tout heureux de gagner un dollar sans poser de questions.

J'arpentai les rues pendant une demi-heure jusqu'à ce que j'aie trouvé un de ces établissements où on vous imprime des cartes de visite pendant que vous attendez.

Je demandai à l'employé de service de m'en faire quelques-unes ainsi rédigées :

> H. *Masters.*
> *Inspecteur d'assurances.*
> *City Agency. San Francisco.*

Il me dit que ce serait prêt dans une heure. Je me rendis à un café voisin où je bus deux tasses de café en lisant un journal du soir.

Ensuite, j'allai prendre mes cartes, et, un peu avant neuf heures, j'entrai dans le hall de Castle Arms.

Il n'y avait personne au bureau de réception, ni personne pour s'occuper de l'ascenseur. Une inscription et une petite flèche en direction de l'escalier du sous-sol m'indiquèrent où je pourrais trouver le portier.

Ayant descendu les marches, je frappai à une porte. Elle s'ouvrit : le petit homme en uniforme élimé me jeta un regard soupçonneux.

Je lui mis ma carte sous le nez en lui disant :

— Puis-je vous acheter quelques minutes de votre temps?

Il prit la carte, la regarda fixement, et me la rendit.

— Vous disiez?

— Je voudrais un renseignement. Est-ce que je peux vous l'acheter?

Je tenais dans ma main un billet de cinq dollars que je lui montrai avant de le remettre dans ma poche.

A l'instant, il manifesta beaucoup de zèle et d'amabilité.

— Bien sûr, entrez donc, mon pote. Qu'est-ce que vous voulez savoir?

Je pénétrai dans la minuscule pièce qui lui servait de bureau. Il s'assit sur l'unique chaise. Après avoir écarté deux balais et posé un seau par terre, je m'installai sur une caisse vide.

— Je voudrais me tuyauter sur une femme qui habite ici, à l'appartement deux cent trente-quatre.

Tout en parlant, je sortis de ma poche le billet de cinq dollars que je pliai et lui mis sous le nez.

Il le regarda d'un air avide, puis me demanda :

— Vous voulez parler de Clare Sims?

— Justement. Qui est-ce? Que fait-elle pour gagner sa vie?

Je lui donnai le billet de banque qu'il fourra vivement dans sa poche-revolver.

— Elle fait du strip-tease au Gatsby Club, sur le boulevard Mac-Arthur. On a des tas d'embêtements avec elle. J'ai idée que c'est une camée. A la façon dont elle se conduit des fois, on pourrait croire qu'elle est cinglée. Le gérant l'a avertie que, si elle continue à nous embêter, on lui fera vider les lieux.

— Pas très bonne payeuse?

— La pire que j'aie connue, fit-il en haussant les épaules. Si vous avez l'intention de lui causer, faites gaffe. Elle est plutôt duraille.

— Je n'ai pas la moindre intention de lui causer, répliquai-je en me levant. Si elle est comme ça, je ne veux rien avoir à faire avec elle.

Je lui serrai la main, le remerciai de sa complaisance, et me retirai. De retour à l'hôtel, je me changeai, puis me fis conduire en taxi au Gatsby Club.

Cet établissement n'avait rien d'original. On peut trouver un club tout pareil dans n'importe quelle grande ville. La salle se trouve toujours dans une cave. Il y a toujours un ancien boxeur qui tient le double emploi de videur et de portier. Il y a toujours une lumière tamisée, et un petit bar à l'intérieur de l'entrée. Il y a toujours des filles au visage dur, à la poitrine abondante, qui attendent qu'on les invite à prendre un verre, et qui sont prêtes à coucher avec vous, en fin de soirée, pour trois dollars si elles ne peuvent pas obtenir davantage.

Je payai les cinq dollars d'entrée, signai le registre sous le nom de Masters, et entrai dans la salle de restaurant.

Une fille mince et brune, vêtue d'une robe de soirée collante qui laissait deviner qu'elle ne portait rien dessous, aux cheveux noirs tombant jusqu'aux épaules, aux yeux gris-bleu pleins d'invitations muettes, m'accosta et me demanda si elle pouvait s'asseoir à ma table.

— Pas maintenant, lui dis-je; mais, tout à l'heure, je te paierai un verre.

Elle me sourit tristement, puis s'éloigna en hochant la tête pour l'édification des cinq filles sans hommes qui jetaient sur moi un regard avide.

Je fis un dîner médiocre en regardant un spectacle de variétés encore plus médiocre.

Clara Slims fit son numéro de strip-tease.

C'était une grande blonde aux formes généreuses. Les clients ne pouvaient détacher les yeux de son buste débordant et de ses hanches épanouies. Tout son talent consistait à exhiber une grande étendue de chair.

Peu de temps après minuit, au moment où je commençais à me dire que j'avais perdu mon temps, il y eut un peu d'agitation près de la porte et un petit homme aux cheveux noirs entra dans la salle.

Il portait un smoking élimé et des lunettes à grosse monture d'écaille.

Il se tenait sur le pas de la porte, faisant claquer ses doigts, agitant tout son corps au rythme de la musique : véritable incarnation du mal.

Il avait un corps décharné; ses cheveux grisonnaient aux tempes. Dans son visage de dégénéré, couleur de suif, ses lèvres semblaient exsangues.

Je n'eus pas besoin de le regarder deux fois.

C'était Wilbur.

# CHAPITRE VI

## I

La brune en robe collante qui m'avait adressé la parole, se dirigea vers Wilbur en roulant les hanches, un sourire professionnel sur ses lèvres rouges. Elle s'arrêta près de lui, tapotant ses cheveux de ses doigts minces, levant d'un air prometteur ses sourcils noirs dessinés au crayon.

Wilbur continua à claquer des doigts et à agiter son corps maigre au rythme de la musique; mais ses yeux de hibou, étincelants derrière ses lunettes, se tournèrent vers la fille, et ses lèvres exsangues découvrirent ses dents, en un sourire grimaçant dépourvu de signification. Puis, sans cesser de claquer des doigts, il s'avança dans sa direction, tandis qu'elle, à son tour, commençait à se tortiller et à taper des talons.

Ils se déplacèrent en cercle l'un autour de l'autre, agitant les mains en l'air, le corps cambré, comme deux sauvages en train d'exécuter une danse rituelle.

Les clients du restaurant s'arrêtèrent de manger ou de danser pour les contempler.

Wilbur saisit la main de la fille et la fit tourner sur elle-même, faisant voltiger sa jupe, montrant ses longues jambes minces jusqu'aux cuisses. Il l'attira contre lui d'une secousse, puis l'écarta à bout de bras, la ramena contre lui, et la fit tourner à nouveau sur elle-même. Enfin, après l'avoir lâchée, il se mit à rôder autour d'elle, en tapant des talons, jusqu'à ce que l'orchestre se soit arrêté de jouer.

Alors, l'ayant prise par le bras d'une poigne tyrannique, il l'emmena à une table de coin en face de la mienne et s'assit avec elle.

En le voyant entrer dans la salle, j'avais éprouvé une sensation de soulagement et de triomphe. Mais, maintenant, après l'avoir regardé danser, après avoir observé ce visage froid à l'expression méchante, je revivais dans mon esprit le moment où il était arrivé dans le bistrot de Rusty, couteau en main; je revoyais le visage de Rima empreint d'une terreur abjecte; j'entendais à nouveau ses cris.

Ce fut le seul moment où j'hésitai à réaliser mon projet. Quand j'avais commencé à chercher Rima, je savais bien que mon but était de la liquider, mais j'avais évité de penser au meurtre lui-même, à la façon dont j'allais l'assassiner. Après l'avoir retrouvée, j'avais compris que, si elle avait été seule dans le bungalow, jamais je n'aurais pu rassembler le courage nécessaire pour la tuer de sang-froid. C'est pourquoi j'étais parti à la recherche de cet homme, sachant qu'il voulait la supprimer. Je ne doutais pas une seconde qu'il le ferait s'il apprenait où elle se trouvait : il y avait en lui quelque chose d'implacable, de terrifiant.

Si je lâchais cet homme sur elle, je serais responsable de sa mort, une mort horrible. Oui, le jour où je lui dirais où il pourrait la trouver, je signerais son arrêt de mort.

Pourtant, si elle ne mourait pas, il me faudrait subir son chantage jusqu'à la fin de mon existence, ou bien jusqu'à ce qu'elle vienne à mourir. Jamais je ne me débarrasserais d'elle.

— Qu'est-ce qu'il y a de mieux que le fric? avait-elle dit.

C'était sa philosophie. Elle n'avait pitié ni de moi ni de Sarita : pourquoi donc aurais-je pitié d'elle?

Je me cuirassai le cœur. Je devais aller jusqu'au bout.

Mais, avant de renseigner Wilbur, il me fallait écarter Vasari de son chemin. Selon toute probabilité, Wilbur serait trop rapide pour ce gros lourd, et le tuerait s'il essayait de défendre Rima. Je ne voulais pas être responsable de la mort de Vasari : je n'avais rien contre lui.

En premier lieu je devais découvrir l'endroit où je pourrais contacter Wilbur. Je n'avais pas l'intention de lui faire savoir qui j'étais. Je lui donnerais l'adresse de Rima au téléphone : un tuyau anonyme.

Ensuite, il me fallait écarter Vasari. D'après la conversation que j'avais entendue entre lui et Rima, il était recherché par la police. Un coup de téléphone anonyme l'avertissant que les flics venaient l'arrêter suffirait à le mettre en fuite; mais est-ce que Rima l'accompagnerait?

Ce plan était compliqué, mais je ne pouvais rien faire de mieux. Il ne me restait plus que neuf jours avant l'échéance des trente mille dollars.

J'observais Wilbur et la fille en train de bavarder. Il semblait essayer de la persuader de faire quelque chose. Il s'appuyait sur la table, parlant à voix très basse, tout en se tripotant un bouton qu'il avait au menton.

Finalement, elle haussa les épaules d'un air impatiente, se leva et gagna le vestiaire.

Wilbur s'en alla au bar, commanda un whisky, l'avala d'un coup, puis se dirigea vers la sortie. L'orchestre avait commencé à jouer, et, tout en s'en allant, il se remit à claquer des doigts et à agiter son corps au rythme de la musique.

J'avais déjà payé ma note. Je me fis donner mon chapeau et mon imperméable par la préposée au vestiaire au moment où la fille brune en sortait, portant un imperméable en matière plastique sur sa robe de soirée.

Elle s'enfonça dans la nuit, et je sortis sur ses talons.

Je m'arrêtai au bord du trottoir comme si je guettais un taxi. La fille descendit la rue d'un pas rapide. Je vis que Wilbur l'attendait un peu plus loin. Elle le rejoignit, puis tous deux traversèrent vivement la chaussée et prirent une rue latérale.

Je les suivis en me tenant dans l'ombre. A l'angle de la ruelle, je m'arrêtai pour jeter un coup d'œil prudent. J'eus le temps de voir le couple monter les marches du perron d'une maison de rapport. Puis il disparut à ma vue.

J'ignorais si Wilbur avait l'intention de passer toute la nuit avec la fille, mais ça ne me semblait guère probable. Je me postai dans une entrée sombre, et j'attendis.

Au bout d'une demi-heure, je le vis descendre les marches du perron et s'engager sur la chaussée d'une allure nonchalante.

Je le suivis.

Je n'eus aucun mal à le filer. Il ne se retourna pas une seule fois pour regarder derrière lui. Il s'en allait en flânant, sifflant un air de musique, et, de temps à autre, il faisait un pas de danse compliqué.

Finalement, il entra dans un hôtel miteux au bord de l'eau. Je m'arrêtai pour l'observer à travers la porte vitrée : il décrocha sa clé d'un tableau, puis gravit les marches d'un escalier et disparut.

Je reculai pour lire l'enseigne au-dessus de ma tête : *Hôtel-restaurant Anderson.*

Je gagnai rapidement l'extrémité de la rue, pris un taxi et me fis conduire à mon hôtel.

Wilbur allait-il passer une seule nuit à l'hôtel Anderson, ou devait-il y séjourner plus longtemps? A présent que je l'avais trouvé, je ne pouvais pas courir le risque de le perdre.

Pourtant, une fois encore, j'hésitai. La pensée de Sarita et le besoin urgent de défendre mon capital me permirent de bander mes nerfs.

J'entrai dans une cabine téléphonique payante, dans le hall, cherchai l'hôtel Anderson sur l'annuaire, et composai le numéro.

Au bout d'un instant, une voix de femme dit :

— Oui? Qu'y a-t-il?

192

Je respirai profondément et dus faire un gros effort pour ne pas raccrocher.

— Vous avez chez vous un petit mec à lunettes, non? demandai-je, en prenant la voix d'un vrai dur.

— Et après? dit la fille. Qui est à l'appareil?

— Un de ses copains. Faites-le venir au bout du fil, ma poupée, et ne traînez pas.

— Si vous êtes un de ses amis, pouvez-vous me donner son nom?

— Assez de boniments! Faites-le venir au bout du fil!

— Oh! ça va, ne quittez pas, répondit-elle d'un ton las.

J'attendis longtemps dans cette cabine où j'étouffais, l'écouteur collé à l'oreille.

Au bout de cinq interminables minutes, j'entendis du bruit. Puis, la fille dit, d'un ton irrité : « Comment je saurais qui c'est? Je vous ai déjà dit que j'en savais rien, non? Voyez vous-même! » Ensuite, elle poussa un petit cri de douleur et ajouta : « Espèce de petit salaud! Ne me touchez pas avec vos pattes dégueulasses! »

Après quoi, Wilbur demanda au bout du fil :

— Ouais? Qui c'est qu'est à l'appareil?

Je l'imaginai debout dans le hall, la lumière se reflétant sur les verres de ses lunettes, son visage blême et cruel exprimant l'impatience.

— Wilbur? dis-je.

— C'est moi. Qui c'est qui parle?

Je répondis d'une voix basse et distincte :

— J'ai vu Rima Marshall hier au soir.

J'entendis siffler sa respiration pendant qu'il retenait son souffle.

— Qui êtes-vous?

— Pas d'importance. Ça vous intéresserait de savoir où elle est?

Des gouttes de sueur froide perlaient sur mon visage.

— Ouais. Où c'est qu'elle est?

— Je vous enverrai son adresse dans deux jours...,

193

vendredi matin, avec un peu d'argent pour aller la rejoindre. Restez où vous êtes jusqu'à vendredi.

— Mais qui c'est que vous êtes, bon sang! Un copain à elle?

— Est-ce que j'ai l'air d'être un de ses copains?

Je raccrochai.

II

Le lendemain matin, de ma chambre d'hôtel, je téléphonai à la clinique du docteur Zimmermann. La standardiste me pria de rester à l'appareil car le docteur voulait me parler.

Sa voix, à l'autre bout du fil, me parut pleine d'entrain.

— J'ai de bonnes nouvelles pour vous, monsieur Halliday. L'état de votre femme s'améliore très nettement. Elle est sortie du coma, et je crois que vous pourrez la voir dans deux jours. Il va falloir penser à cette seconde opération. Quand serez-vous de retour?

— Dans la journée de vendredi. Je vous appellerai dès mon arrivée. Vous croyez vraiment qu'elle a franchi le cap difficile?

— J'en suis certain. Si vous voulez venir à la clinique samedi matin, il est possible que je vous la laisse voir.

Je répondis que je ne manquerais pas de venir, et, après un échange de quelques phrases, je raccrochai.

La nouvelle de l'amélioration de l'état de Sarita me remit du baume dans le cœur. A nouveau, je sentis faiblir ma résolution de tuer Rima.

Peut-être que, samedi, je me trouverais auprès de Sarita. Pendant que je serais à son chevet, j'aurais conscience d'avoir détruit une vie de propos délibéré. Je me demandai ce que j'éprouverais quand nos regards se rencontreraient. Verrait-elle ma culpabilité dans mes yeux?

Je me levai et me mis à arpenter la pièce. De quel

droit allais-je supprimer Rima? Je me proposais de la détruire uniquement pour échapper à la prison ou à la chambre à gaz. Pourrais-je vivre en paix avec moi-même si j'étais la cause directe de sa mort? Il y avait là un problème de conscience qui me tourmentait énormément.

Je cherchai une autre solution. Si je refusais de verser d'autre argent à Rima, que se passerait-il? Sans aucun doute, elle irait me dénoncer à la police et je serais arrêté. Alors, que deviendrait Sarita sans moi? Bien sûr, elle aurait mon argent, mais comment se tirerait-elle d'affaire, toute seule et infirme?

J'essayai d'être franc avec moi-même. Avais-je l'intention de me débarrasser de Rima pour m'éviter d'aller en prison ou parce que Sarita avait besoin de moi?

Je ne pus trancher la question, mais je savais fort bien que Sarita avait besoin de moi et que la vie de Rima était méprisable.

Je me rendis compte que mon projet de meurtre offrait de nombreux défauts. Même si j'envoyais l'adresse de Rima à Wilbur, je n'avais aucune garantie qu'il la tuerait. Peut-être qu'il n'éprouvait plus de haine à son égard et que ça l'embêterait de faire le voyage. D'autre part, Vasari pouvait fort bien ne pas quitter Rima après avoir été averti par moi qu'on allait l'arrêter. S'il partait, Rima pouvait fort bien partir avec lui, et Wilbur trouverait le bungalow vide. Si... si... si...

Mon projet de meurtre ne tenait pas debout.

Je décidai de le laisser tel quel. J'allais jouer à pile ou face : face, Rima meurt; pile, je vais en prison. De la sorte, je ne serais pas entièrement responsable si le projet venait à réussir et si Rima venait à mourir.

Pour échapper à mes pensées, je descendis à la salle à manger et commandai à la serveuse du café et des toasts. En attendant, je regardai autour de moi. Il y avait huit ou neuf hommes en train de prendre leur petit déjeuner : de toute évidence, c'étaient des hommes d'affaires, préoccupés uniquement de leur repas et de la lecture de leur journal.

Je m'aperçus que l'un d'eux, dans un coin au fond de la salle, avait levé les yeux et m'examinait avec attention. C'était un type à peu près de mon âge dont le visage rond et charnu me semblait vaguement familier. Soudain, il se leva et vint à moi en souriant. Je le reconnus seulement quand il fut arrivé à ma table. C'était un type avec lequel j'avais fait mes études à l'université : nous partagions la même chambre. Il se nommait Bill Stovell, et avait obtenu son diplôme d'ingénieur en même temps que moi.

— Ça, par exemple! s'exclama-t-il. Vous êtes bien Jeff Halliday, non?

Je me levai pour lui serrer la main. Il me demanda ce que je faisais à San Francisco, et je lui répondis que j'étais en voyage d'affaires. Il me dit qu'il avait vu ma photo dans *Life* et avait lu l'article au sujet du pont.

— Tu as là un fameux boulot, Jeff! Bon sang! tous les ingénieurs du pays ont essayé de le dégotter.

Nous nous assîmes et parlâmes du pont. Puis, je lui demandai ce qu'il faisait.

— Je travaille aux aciéries Fraser and Grant. A ce propos, Jeff, peut-être pourrions-nous te rendre service. Tu vas avoir besoin d'acier, et tu seras épaté de nos prix.

Il me vint brusquement à l'esprit que, si mon projet de me débarrasser de Rima échouait pour une raison quelconque et si on remontait jusqu'à moi, ce serait une excellente chose de pouvoir légitimer ma présence à San Francisco. En conséquence, je dis que tous les prix concernant l'acier m'intéressaient et que je ne demandais qu'à me renseigner.

— Alors, écoute, fit-il en s'échauffant; viens donc nous voir vers dix heures et demie, je te présenterai à notre chef de vente, qu'en penses-tu?

Je lui répondis que j'acceptais volontiers. Là-dessus, il me tendit sa carte et s'en alla.

196

Je passai la matinée et une partie de l'après-midi chez Fraser and Grant. Les devis qu'on m'établit étaient inférieurs de deux pour cent à tout ce que les autres entrepreneurs m'avaient offert. Je promis de donner ma réponse dès que j'aurais consulté Jack.

Je revins à l'hôtel un peu après cinq heures. Je pris une douche, changeai de linge, puis m'assis à la table et traçai sur une feuille de papier le nom et l'adresse de Rima en lettres majuscules. Je mis ensuite la feuille et trois billets de dix dollars dans une enveloppe que j'adressai à Wilbur, aux bons soins de l'hôtel Anderson.

Je descendis dans le hall et demandai au portier les heures des trains pour Holland City. Il me dit qu'il y en avait un à huit heures vingt.

Je lui achetai un timbre que je collai sur l'enveloppe à l'adresse de Wilbur. Il me fallut faire un gros effort pour aller jusqu'à la boîte aux lettres, et, dès que j'y eus glissé ma missive, j'éprouvai une violente envie de la reprendre.

Je gagnai le bar où je bus un verre d'alcool. Je me sentais moite de sueur. Demain, à huit heures du matin, Wilbur recevrait ma lettre. Que ferait-il? S'il avait vraiment l'intention de tuer Rima, il pourrait être à Santa Barbara à deux heures et demie dans l'après-midi.

C'était un camé : par conséquent, personne ne pouvait prévoir ce qu'il ferait. Il pourrait aisément dépenser en drogue l'argent que je lui avais envoyé pour payer son voyage. Il y avait de fortes chances pour qu'il reste à San Francisco au lieu de partir pour Santa Barbara.

Cette idée apaisant tant soit peu mes remords, j'allai au snack-bar et mangeai un sandwich. Ensuite, je réglai ma note; puis, en attendant qu'on descende ma valise, je m'enfermai dans une cabine téléphonique payante. Je demandai aux « Renseignements » le numéro de The Bungalow, East Shore, Santa Barbara. La préposée me répondit, au bout d'un certain temps, que c'était East 6 684. Après avoir noté sur mon carnet, je me fis conduire en taxi à la gare.

J'arrivai à Holland City peu après minuit. L'employé de service au portillon de sortie m'adressa un grand sourire.

— Ça fait plaisir de vous revoir, monsieur Halliday. Avez-vous de bonnes nouvelles de Mme Halliday?

Je lui répondis que la santé de Sarita s'améliorait beaucoup et que j'espérais la voir samedi prochain.

— Je suis rudement content d'apprendre ça, monsieur Halliday. Votre femme est quelqu'un de très bien. J'espère qu'on va coller plusieurs années de taule au salopard qui lui est rentré dedans.

Le chauffeur de taxi qui me conduisit chez moi me demanda, lui aussi, des nouvelles fraîches de Sarita. Il me vint brusquement à l'esprit qu'elle était devenue un personnage public, et cela me donna un sentiment de fierté.

Mais je fus en proie à une terrible dépression quand j'ouvris la porte de mon appartement et pénétrai dans le living-room silencieux. Je restai immobile pendant un bon moment, comme si je m'attendais à entendre la voix de Sarita me souhaiter la bienvenue. Je me sentis affreusement seul en regardant les objets familiers : la pendule arrêtée sur le dessus de la cheminée, le poste de télévision couvert d'une mince couche de poussière.

J'entrai dans la chambre, me déshabillai, pris une douche et enfilai mon pyjama. Ensuite, je revins dans le living-room et me versai un whisky à l'eau de Seltz très corsé. Je m'assis près du téléphone et allumai une cigarette. Quand j'eus fini de boire, j'écrasai mon mégot dans un cendrier, puis je regardai ma montre.

Il était deux heures moins vingt. Je voyageai en pensée jusqu'à Santa Barbara, jusqu'au sordide petit bungalow d'East Shore. Rima et Vasari devaient se préparer à se coucher; peut-être même étaient-ils déjà au lit.

Il me fallait à présent exécuter la deuxième partie de mon projet. Je pris mon carnet sur la table, vérifiai le numéro du bungalow, puis demandai l'interurbain.

Quand j'eus l'employée au bout du fil, je lui donnai le numéro et lui dis que j'allais conserver l'appareil.

Je restai assis sans faire un mouvement, les yeux tournés vers le plafond, écoutant le bourdonnement et les voix spectrales à l'extrémité de la ligne. Soudain, j'entendis les vibrations régulières qui m'indiquaient que la sonnerie du téléphone fonctionnait.

Elle retentit pendant quelque temps. Après quoi il y eut un déclic, et Rima dit d'un ton furieux :

— East 6 684. Qui est à l'appareil?

J'eus un pincement au cœur en l'entendant parler.

— Ed est là? demandai-je d'une voix rude et brutale.

— Qui êtes-vous?

La communication était si nette que je pouvais entendre sa respiration rapide et entrecoupée.

— Vous occupez pas de ça. Je suis un copain à lui. Je veux lui causer.

— Vous ne lui parlerez pas si vous ne me dites pas qui vous êtes, déclara-t-elle d'un ton légèrement inquiet.

Soudain, il y eut un bruit de lutte.

J'entendis Rima qui disait :

— Ed, ne fais pas l'imbécile!

Vasari répliqua :

— Ta gueule! Je vais m'occuper de ça moi-même!

Ensuite, sa voix retentit à mon oreille :

— Qui est à l'appareil?

— Un copain, sans plus, dis-je d'une voix lente et distincte. Tu ferais bien de te barrer, Ed, et au trot. Les flics t'ont repéré ce matin. A présent, ils savent où tu es. Dès qu'ils auront un mandat d'arrêt, ils viendront t'alpaguer...

Je l'entendis reprendre son souffle, puis, comme il commençait à parler, je raccrochai.

Je restai assis, la main sur l'écouteur, les yeux perdus dans le vague. Quelle que fût sa valeur, le piège était tendu. D'ici six heures, Wilbur ouvrirait ma lettre. Peut-être prendrait-il le premier train pour Santa Barbara, peut-être resterait-il à San Francisco. S'il allait à Santa Barbara, j'étais presque sûr qu'il tuerait Rima; mais, en attendant, Vasari pourrait bien avoir décampé. Dans ce cas, il était possible que Rima l'ait accompagné : alors, si Wilbur arrivait, il trouverait le bungalow vide. D'autre part, Vasari pouvait laisser Rima derrière lui, et Wilbur la trouverait au logis. Mais, d'un autre côté, Vasari pouvait ne pas prendre la fuite et rester avec Rima : alors, Wilbur n'aurait pas la besogne facile. Mon projet de meurtre ne tenait pas debout, mais, en tant que problème, il offrait plusieurs solutions. C'était vraiment un jeu de pile ou face.

En tout cas, maintenant, il échappait à mon contrôle. J'avais tendu le piège, je devais m'en tenir aux résultats.

J'éteignis la lumière et entrai dans la chambre. Le lit vide à côté du mien me fit penser à Sarita.

Je voulus prier pour elle, mais les mots refusèrent de sortir de mes lèvres.

Je me couchai en laissant la lampe allumée : l'obscurité avive les remords.

CHAPITRE VII

I

Le lendemain matin, peu de temps après six heures, je me rendis en voiture à l'emplacement du pont.

Des ouvriers étaient déjà au travail, et j'échangeai quelques mots avec le contremaître. Jack avait fait un boulot remarquable en mon absence. On avait défriché le terrain des deux côtés de la rivière, et mis en place plusieurs piles.

Je me promenai sur le chantier pendant dix minutes en regardant travailler les hommes, puis je vis la Thunderbird de Jack descendre la côte en vitesse. Il s'arrêta à peu de distance, sortit de sa voiture et vint vers moi, son bon visage épanoui en un large sourire de bienvenue.

— B'jour, Jeff! Ça me fait rudement plaisir de te voir. Tout est réglé?

Je lui serrai la main.

— Oui, tout est réglé, et j'ai une surprise pour toi. Je peux me procurer tout l'acier dont nous avons besoin à deux pour cent de moins que le devis le plus avantageux qu'on nous ait présenté.

Il ouvrit de grands yeux.

— Tu as donc travaillé pendant ton absence? Je croyais que tu étais parti pour t'occuper d'une affaire personnelle.

— Je travaille sans arrêt, mon vieux. Est-ce que ma proposition te plaît? Ça nous fait une économie de vingt-cinq mille dollars.

— Tu parles si elle me plaît! Donne-moi des détails.

Nous parlâmes boutique pendant vingt minutes, puis il déclara :

— Il va falloir conférer avec nos entrepreneurs, Jeff. C'est une excellente nouvelle. Dis donc, j'ai deux ou trois choses à faire ici, après quoi je reviens au bureau. Je t'y retrouverai.

Il m'accompagna à la voiture.

— Et Sarita? me demanda-t-il.

— Tout va bien. Je dois voir Zimmermann demain matin.

Je lui expliquai que Zimmermann voulait une deuxième opération.

Il m'écouta avec intérêt, mais je voyais bien que le pont le préoccupait plus que tout le reste, et je trouvais ça très naturel.

— C'est épatant, Jeff, dit-il. Maintenant, je crois que...

— Bien sûr, mon vieux. Je file au bureau tout de suite. Comment Weston se débrouille-t-il?

— Il est parfait, mais tu es revenu juste à temps,

Jeff. Il a besoin d'aide, et je n'ai pas le temps de lui donner un coup de main.

— Je vais m'en charger.

— Très bien. Je te retrouve vers onze heures.

Sur ces mots, il s'éloigna en criant au contremaître de venir le rejoindre.

Pendant que je roulais vers le bureau, je regardai la pendule du tableau de bord. Il était sept heures quarante-cinq. Wilbur allait recevoir ma lettre dans un quart d'heure. Que ferait-il? Je me rendis compte soudain que j'avais les mains moites de sueur.

Après avoir rangé ma voiture, je montai au bureau où je trouvai Clara et Ted Weston attelés déjà à la besogne.

Ils me souhaitèrent la bienvenue; puis Clara me tendit un tas de lettres, de documents, de devis et de dossiers.

Je m'assis et me mis au travail.

Ce fut seulement à dix heures, quand je m'arrêtai pour allumer une cigarette, que je songeai de nouveau à Wilbur. Il y avait un train pour Santa Barbara à dix heures dix. J'éprouvai soudain un besoin impérieux de savoir s'il l'avait pris.

J'avais déjà rédigé un certain nombre de notes pour Jack. Je les épinglai toutes ensemble et les jetai sur le bureau de Weston.

— Soyez chic, portez ça à Jack, lui dis-je. Il en aura besoin. Je m'occuperai de votre boulot ici.

— Avec plaisir, monsieur Halliday.

Je tournai les yeux vers lui.

C'était un joli garçon au visage ouvert, plein d'ardeur et désireux de bien faire. Je le regardai avec envie ramasser les notes et quitter le bureau en toute hâte. Je regrettais amèrement de n'avoir pas été comme lui à son âge. Avec un peu de veine, il ne recevrait pas une balle de shrapnell en pleine figure; il ne passerait pas des mois dans une salle de chirurgie esthétique à écouter les gémissements et les cris de ceux qui n'avaient pas le cran nécessaire pour accepter un nouveau visage. Il ne s'embringuerait pas avec une camée aux cheveux d'argent, à la voix d'or, capable de tuer un homme sans sourciller. Il ne vivrait pas sous la menace d'un chantage et n'échafauderait pas un projet de meurtre... Il faisait partie des veinards, et je l'enviais.

Dès qu'il fut parti, je décrochai le téléphone et dis à Clara de me donner une ligne extérieure. Ensuite, je demandai l'interurbain et donnai à la préposée le numéro de l'hôtel Anderson. Elle me dit que le réseau de San Francisco était occupé, et qu'elle me rappellerait.

Je restai assis à fumer, la sueur aux tempes. Il me fallut attendre dix longues minutes, les nerfs torturés, avant d'obtenir la communication.

La voix indifférente de la même standardiste demanda :

— Ouais? Que désirez-vous?

— Je voudrais parler à Wilbur.

— Impossible. Il a donné congé.

Mon cœur cessa de battre, l'espace d'une seconde.

— Vous voulez dire qu'il n'est plus là?

— Bien sûr, qu'est-ce que vous croyez?

— Savez-vous où il est allé?

— Non, et je m'en moque éperdument.

Elle raccrocha.

Je reposai l'écouteur, puis, tirant mon mouchoir de ma poche, je m'essuyai la figure et les mains.

Donc, il était parti; mais était-il parti pour Santa Barbara? Dans l'affirmative, il n'y arriverait qu'après deux heures de l'après-midi. En proie à une panique soudaine, j'éprouvai le besoin impérieux de tout empêcher. Il me suffisait de téléphoner à Rima pour l'avertir.

Je faillis le faire; mais, à ce moment, la porte s'ouvrit, et Jack, Weston et deux entrepreneurs entrèrent dans la pièce.

Tout en saluant les entrepreneurs, je regardai la pendule sur ma table. Il était onze heures et quart. J'avais encore le temps d'avertir Rima à l'heure du déjeuner.

Mais la discussion devint si compliquée que Jack nous proposa de déjeuner tous ensemble pour essayer de résoudre le problème pendant le repas.

— Passez devant, les amis, dis-je. Il faut que je donne un coup de fil; après ça, j'irai vous rejoindre.

Quand ils furent partis, j'allumai une cigarette et regardai fixement le téléphone. Si j'avertissais Rima de l'arrivée de Wilbur, elle disparaîtrait, et je ne la retrouverais sans doute jamais plus. Elle continuerait à me faire chanter, et, si je refusais de payer, j'irais en prison... Mais la pensée de Wilbur assis dans le train, se rapprochant d'elle de plus en plus, me glaçait le sang dans les veines.

Mon projet de meurtre ressemblait à un jeu de pile ou face : face, Rima mourait; pile, j'allais en prison. Du moment qu'il en était ainsi, pourquoi ne pas trancher la question tout de suite?

Je tirai de ma poche une pièce de monnaie et la lançai très haut dans l'air. Je l'entendis retomber sur le plancher à côté de moi. Pendant quelques secondes je restai assis sans bouger; puis, au prix d'un effort considérable, je me penchai en avant pour regarder la pièce.

Face!

Le sort en était jeté. Je pouvais me laver les mains de toute responsabilité, laisser les événements suivre leur cours. Je me levai, écrasai ma cigarette dans le cendrier, et me dirigeai vers la porte.

Alors, je m'arrêtai net.

Le bistrot de Rusty me revint en mémoire. Je revis Wilbur, son couteau à la main. Je revis Rima tapie dans son box, la bouche grande ouverte; j'entendis à nouveau son hurlement de terreur, et le bruit de ses ongles griffant la cloison de bois...

Je ne pouvais pas lui faire une chose pareille. Je devais l'avertir.

Je regagnai ma table de travail, décrochai le téléphone, demandai l'interurbain, et donnai à la préposée le numéro de Rima.

J'attendis, en écoutant le bourdonnement de la ligne libre.

— On ne répond pas, me dit l'employée. Est-ce que votre correspondant devrait être chez lui?

— Je le crois. Voulez-vous rappeler, je vous prie?

Au bout d'une longue attente, la préposée parla de nouveau :

— Je regrette, monsieur, mais votre correspondant ne répond pas.

Je la remerciai et raccrochai.

La situation paraissait claire : Vasari avait décampé, et Rima était partie avec lui.

## II

Pourtant, je ne m'en tins pas là. Après tout, peut-être que Rima était sortie et allait revenir. Trois fois au cours de la journée, en l'absence de Weston, j'appelai le bungalow sans obtenir de réponse.

Finalement, je décidai qu'elle avait filé, et que mon projet de meurtre télécommandé avait échoué.

J'en fus tout soulagé et tout heureux. Maintenant, je n'avais plus qu'à me préparer à subir de sérieux ennuis. Dans six jours, Rima attendrait un versement de trente mille dollars à son compte en banque. Or, je n'allais pas la payer. Que ferait-elle? Irait-elle trouver la police? Je ne pouvais rien laisser au hasard. Je devais admettre pour certain qu'elle irait trouver la police et que, peu de temps après, je serais arrêté sous inculpation de meurtre.

Il me restait à prendre des dispositions pour assurer l'avenir de Sarita. J'appelai le maire Mathison, et lui demandai si je pouvais aller chez lui après dîner.

Il m'invita à dîner, mais j'inventai une excuse quelconque : je ne me sentais pas d'humeur à ce genre de distraction.

Je trouvai Helen et Mathison assis au coin du feu.

Ils m'accueillirent à bras ouverts. Je leur parlai de l'opération envisagée par Zimmermann.

— Quelle est votre situation financière, Jeff? demanda aussitôt Mathison. Cette opération pourrait coûter gros. Vous savez que ma femme et moi considérons Sarita comme notre fille.

— Oui, je le sais. Je n'ai aucun souci d'argent à l'heure actuelle; mais il est évident que Sarita devra être entourée de beaucoup de soins pendant des années. Elle ne peut compter que sur moi. S'il m'arrivait quelque chose, elle serait seule au monde.

— Pas du tout, déclara Mathison. Est-ce que je ne vous ai pas dit que nous la considérions comme notre fille? S'il vous arrivait quelque chose, elle viendrait vivre ici, avec nous. D'ailleurs, à quoi rime toute cette histoire? Qu'est-ce qu'il pourrait bien vous arriver?

— Je comprends son état d'esprit, intervint Helen. On ne sait jamais. C'est bien naturel qu'il s'inquiète... Je vous promets que nous nous occuperons de Sarita, Jeff, ajouta-t-elle en me souriant.

J'étais désormais soulagé d'un grand poids. En rentrant chez moi en voiture, je me sentis à l'aise pour la première fois depuis que Rima avait commencé à me faire chanter.

Le lendemain matin, je me rendis à la clinique. Zimmermann me dit que l'état de sa malade s'était encore amélioré.

— Je ne voudrais pas vous donner trop d'espoir, monsieur Halliday, mais il y a une chance, si faible soit-elle, qu'elle retrouve l'usage de ses jambes.

Il me conduisit à la chambre de Sarita. Elle paraissait très pâle et très menue dans son lit d'hôpital. Elle avait repris connaissance et elle me reconnut, mais elle n'avait pas encore la force de parler.

On me permit de rester deux minutes près de son lit, et, pendant ces deux minutes, je me rendis nettement compte de tout ce qu'elle représentait pour moi.

J'étais très heureux de l'échec de mon projet de me

débarrasser de Rima. Je savais que je n'aurais pas pu regarder Sarita de la façon dont je la regardais à présent, si j'avais eu un meurtre sur la conscience.

Jack et moi, nous passâmes tout le dimanche et tout le lundi sur l'emplacement du pont. Nous étions tombés sur une couche de terrain mouvant, et il nous fallait trouver un moyen de nous tirer de cette difficulté.

Le mardi soir, nous avions résolu le problème. Le mercredi et le jeudi, nous travaillâmes au bureau comme des forcenés. Je m'arrangeai pour aller tous les soirs à la clinique échanger des sourires avec Sarita. Elle ne pouvait toujours pas parler, mais, du moins, elle me reconnaissait.

Le vendredi, jour où je devais envoyer le chèque à Rima, Zimmermann me téléphona vers dix heures. Il me dit que Goodyear était avec lui et qu'ils avaient examiné leur malade.

— Nous avons décidé de ne pas attendre, monsieur Halliday. Nous opérerons demain matin.

Je répondis que je serais là. J'annonçai la nouvelle à Mathison par téléphone. Il me dit qu'il ne pourrait pas se rendre à la clinique, mais que Helen viendrait m'y rejoindre.

Dans la soirée, j'allai voir Sarita, et, pour la première fois, elle réussit à prononcer quelques mots.

— On va s'occuper de toi demain, ma chérie, lui dis-je. D'ici peu de temps, tu seras en très bonne forme.

— Oui, Jeff... Il me tarde tellement de rentrer à la maison!

En regagnant mon appartement, je songeai que, à l'heure actuelle, Rima devait savoir que je ne lui verserais pas les trente mille dollars. Elle attendrait sans doute deux jours pour en être bien sûre... Ensuite, que ferait-elle? Mais j'avais trop de choses à penser pour me casser la tête à son sujet.

L'opération commença à onze heures du matin. Elle dura quatre heures. Helen et moi nous restâmes assis sans mot dire dans la salle d'attente. De temps à autre, elle me souriait et me tapotait la main.

Peu de temps après deux heures, une infirmière vint m'avertir qu'on m'appelait de mon bureau. Elle ajouta que l'opération touchait à sa fin et que j'aurais des nouvelles dans une demi-heure.

Le téléphone se trouvait dans le couloir. Clara était au bout du fil.

— Je m'excuse de vous avoir appelé, monsieur Halliday, mais nous avons ici l'inspecteur de police Keary qui désire vous parler d'une affaire importante.

Mon cœur bondit dans ma poitrine, puis se mit à battre à coups précipités.

— Il faudra qu'il attende, dis-je. L'opération va prendre fin dans une demi-heure. Je ne pourrai pas être de retour au bureau avant cinq heures. Que me veut-il?

Je savais fort bien ce qu'il me voulait : finalement, Rima était allée trouver la police.

— Si vous voulez bien ne pas quitter, monsieur Halliday, je vais lui demander...

Clara semblait assez agitée.

Il y eut un silence, puis une voix d'homme se fit entendre :

— Ici, inspecteur Keary, police de Santa Barbara. Je désirerais vous voir le plus tôt possible.

— De quoi s'agit-il?

— Affaire de police, répliqua-t-il sèchement. Je ne peux pas vous en parler au téléphone.

— C'est bon, dis-je sur le même ton. Il vous faudra attendre. Je serai de retour à mon bureau à cinq heures. Je vous verrai à ce moment-là.

Je raccrochai, puis j'essuyai mes mains moites avec mon mouchoir. Avait-il un mandat d'arrêt? Rima était-elle déjà sous les verrous?

Je vis Zimmermann venir le long du couloir. Il souriait.

— Le docteur Goodyear va arriver dans un instant, me dit-il. Il achève de faire sa toilette. J'ai une bonne nouvelle à vous apprendre. Nous sommes presque certains que l'opération est une réussite complète. A moins d'une complication très grave, et nous ne prévoyons rien de tel, votre femme pourra marcher dans quelques mois.

Au cours de la demi-heure suivante, il me fit une conférence bourrée de termes techniques à laquelle je ne compris pas grand-chose, mais dont il ressortait clairement que, au bout de plusieurs mois de soins attentifs, Sarita reprendrait une activité normale.

Pendant que Goodyear parlait, je ne cessai pas de penser à l'inspecteur Keary qui m'attendait. Le docteur me dit en conclusion que je pourrais voir Sarita dans deux jours, mais pas avant. Je songeai que, dans deux jours, je serais dans la prison de Los Angeles.

Je quittai la clinique avec Helen.

— Vous vous rappelez la conversation que nous avons eue hier au soir au sujet de Sarita? lui dis-je pendant que je la ramenais en voiture. Vous m'avez promis que vous et Ted prendriez soin d'elle s'il m'arrivait quelque chose. Ça tient toujours, j'espère?

— Mais, bien sûr, Jeff...

— Je suis dans un sale pétrin, poursuivis-je sans la regarder. Je ne veux pas vous donner de détails, mais il se pourrait que je disparaisse de la circulation pendant un certain temps, et je compte sur vous et sur Ted pour rester auprès de Sarita.

— Pourquoi ne voulez-vous pas me donner de détails, Jeff? me demanda-t-elle d'un ton calme. Vous savez quels sont les sentiments de Ted à votre égard, et je les partage entièrement. Si nous pouvons faire quoi que ce soit...

— Je veux simplement avoir la certitude que ma femme ne manquera de rien. Donnez-moi cette certitude, et vous aurez fait tout pour moi.

Elle posa sa main sur la mienne.

— D'accord. Vous n'avez pas besoin de vous inquiéter du tout au sujet de Sarita... et, vous savez, Jeff, je suis désolée pour vous... Ted et moi, nous vous aimons beaucoup.

Je la déposai à l'Hôtel de ville, car elle voulait apprendre à son mari que l'opération avait réussi. Elle me regarda une dernière fois en souriant par la vitre de la portière.

— N'oubliez pas, Jeff... si nous pouvons faire quoi que ce soit...

— Je n'oublierai pas.

Dix minutes plus tard, j'entrais dans mon bureau.

Clara s'arrêta de taper sur le clavier de sa machine à écrire, et leva les yeux sur moi.

— Bonne nouvelle, dis-je en ôtant mon imperméable. Les médecins pensent qu'elle pourra remarcher. Ça prendra du temps, mais ils semblent pleins de confiance.

— Je suis ravie d'apprendre ça, monsieur Halliday.

— Où est cet inspecteur de police?

— Dans votre bureau. Il est seul, car M. Weston a dû se rendre sur le chantier.

Je traversai la pièce, tournai la poignée de la porte, et entrai.

Un homme grand et fort était confortablement installé dans un des fauteuils de cuir réservés aux clients importants.

Il avait une tête de flic caractéristique : visage rougeaud, charnu, bronzé; petits yeux au regard dur; bouche aux lèvres minces. Ses épaules étaient volumineuses, ainsi que son tour de taille, et ses cheveux clairsemés grisonnaient.

Il se leva lourdement en disant :

— Monsieur Halliday, sans doute?

— Lui-même.

Je refermai la porte. J'avais les mains moites de sueur, et mon cœur battait furieusement; mais, au prix d'un gros effort de volonté, je réussis à garder un visage impassible.

210

— Je suis l'inspecteur Keary, police de Santa Barbara.

J'allai m'asseoir à mon bureau.

— Je m'excuse de vous avoir fait attendre, inspecteur. Asseyez-vous donc, je vous en prie. Que puis-je faire pour vous?

Il s'assit, et ses petits yeux verts m'examinèrent avec attention.

— C'est une simple formalité, monsieur Halliday. Je suis chargé d'une enquête, et j'espère que vous pourrez nous aider.

C'était si inattendu que je perdis contenance l'espace d'un instant. J'avais cru à mon arrestation. Je le regardai avec de grands yeux.

— Je suis à votre disposition. De quoi s'agit-il?

— Nous recherchons un homme qui se fait appeler Jinx Mandon. Est-ce que ce nom vous dit quelque chose?

Fausse alerte! J'éprouvai un immense soulagement. Mes nerfs se détendirent.

— Jinx Mandon? Ma foi, non.

Les petits yeux verts continuaient à me scruter.

— Jamais entendu parler de lui?

— Non.

Il tira de sa poche une barre de chewing-gum, en enleva le papier, et mit la gomme dans sa bouche avec des gestes lents et mesurés. Puis il roula le papier en une petite boulette qu'il laissa tomber dans le cendrier sur mon bureau. Tout cela sans cesser de me regarder fixement.

— Quelle est votre adresse personnelle, monsieur Halliday?

Je la lui donnai, en me demandant pourquoi il me posait cette question.

— Au fait, de quoi s'agit-il? dis-je.

— Nous recherchons Mandon pour vol à main armée, répliqua-t-il en mâchonnant son chewing-gum. Hier, nous avons trouvé une voiture abandonnée devant la gare de Santa Barbara. Le volant portait les empreintes de Mandon. La voiture avait été volée à Los Angeles.

Dans la boîte à gants nous avons découvert un bout de papier sur lequel étaient écrits votre nom et votre adresse.

Mon cœur cogna contre ma poitrine. Jinx Mandon et Vasari ne faisaient-ils qu'un? Pour dissimuler mon sursaut de surprise, j'ouvris le coffret de cigarettes sur mon bureau, en pris une et l'allumai.

— Mon nom et mon adresse? dis-je en essayant désespérément de prendre un ton détaché. Je ne comprends pas.

— C'est pourtant simple, non? fit-il avec une certaine âpreté dans la voix. Dans la boîte à gants d'une voiture utilisée par un criminel recherché par la police, on a trouvé un bout de papier portant votre nom et votre adresse. Il n'y a pas grand-chose à comprendre là-dedans. Comment expliquez-vous ça?

Je me ressaisissais lentement.

— Je ne l'explique pas, dis-je. Je n'ai jamais entendu parler de cet homme.

— Peut-être l'avez-vous vu?

Il prit dans sa poche une enveloppe d'où il tira une photographie qu'il poussa vers moi d'une chiquenaude à travers le bureau.

J'avais déjà repris mon sang-froid quand je regardai le cliché. C'était bien Ed Vasari : on ne pouvait pas s'y tromper.

— Non, je ne le connais pas, dis-je.

Keary tendit le bras, ramassa la photographie, la glissa dans l'enveloppe et remit l'enveloppe dans sa poche. Puis, il fixa de nouveau son regard sur moi, tout en mastiquant son chewing-gum.

— En ce cas, pourquoi avait-il votre nom et votre adresse dans sa voiture?

— Je suis incapable de vous le dire. Peut-être que le propriétaire de la voiture me connaît. Qui est-ce?

— Il ne vous connaît pas. Nous lui avons déjà posé la question.

— Alors, je ne peux pas vous être utile, inspecteur.

— Vous bâtissez un pont, n'est-ce pas? me demanda-t-il à l'improviste. Vous avez eu votre photo dans *Life*?

— Oui, mais je ne vois pas le rapport.

— Peut-être que Mandon a relevé votre nom sur le magazine. Est-ce que votre adresse y figurait?

— Non.

Il bougea son corps massif dans le fauteuil en fronçant les sourcils.

— C'est vraiment un mystère, n'est-ce pas? Je n'aime pas les mystères. Ça gâte un rapport. Vous ne voyez pas du tout pourquoi Mandon avait votre nom et votre adresse dans sa voiture?

— Pas du tout.

Il mâchonna son chewing-gum pendant quelques instants sans souffler mot, puis, haussant ses lourdes épaules, il se leva.

— Il doit y avoir une explication quelconque, monsieur Halliday. Réfléchissez. Peut-être vous rappellerez-vous quelque chose. Dans ce cas, donnez-moi un coup de fil. Nous voulons avoir ce type, et nous l'aurons. Il y a peut-être entre vous deux un lien que vous avez oublié.

— Je suis sûr du contraire, dis-je en me levant. Je ne le connais pas et je ne l'ai jamais vu.

— C'est bon. Je vous remercie de m'avoir consacré un peu de votre temps.

Il se dirigea vers la porte, puis s'arrêta.

— Vous êtes en train de bâtir un fameux pont, monsieur Halliday.

— Oui.

— Est-il exact qu'il va coûter six millions de dollars?

— Oui.

Ses petits yeux verts me sondaient à nouveau.

— Excellente affaire pour vous, si vous pouvez aller jusqu'au bout, dit-il. Au revoir, monsieur Halliday.

Il m'adressa un signe de tête et s'en alla.

Je sentis une sueur froide perler sur mon visage

213

tandis que je regardais la porte se refermer sans bruit
derrière lui.

## CHAPITRE VIII

### I

Le lendemain et le surlendemain furent des jours de
travail forcené et de tension nerveuse. A chaque instant,
je m'attendais à recevoir un coup de téléphone de Rima
ou à être arrêté par la police de Los Angeles. Je n'avais
qu'un seul sujet de réconfort : l'état de Sarita ne cessait
de s'améliorer.

Le jeudi matin, alors que Ted Weston et moi nous
nous apprêtions à nous rendre sur le chantier, Clara vint
m'annoncer que l'inspecteur Keary désirait me voir à
nouveau.

Je dis à Weston de partir le premier : j'irais le rejoindre le plus tôt possible. Quand je fus seul, je demandai
à Clara de faire entrer Keary.

Je restai assis à mon bureau, les nerfs tendus, le cœur
battant.

Keary entra.

Pendant qu'il refermait la porte, je lui dis :

— Je n'ai pas beaucoup de temps à vous accorder,
inspecteur. On m'attend sur le chantier. Qu'est-ce qu'il
y a encore ?

Mais il n'était pas homme à se laisser bousculer. Il
installa posément son corps massif dans le fauteuil, et
repoussa son chapeau sur la nuque. Puis, il prit une
barre de chewing-gum et commença à en défaire le
papier.

— Ce Mandon dont je vous ai parlé, nous venons
d'apprendre qu'il se faisait appeler Ed Vasari. Avez-vous
jamais entendu ce nom, monsieur Halliday ?

Je fis un signe de tête négatif.

— Pas plus que l'autre, inspecteur.

— Voyez-vous, monsieur Halliday, nous continuons à être intrigués par le fait que votre nom et votre adresse se soient trouvés dans sa voiture. Nous pensons que, même si vous ne connaissez pas Mandon, il a dû vous connaître à un moment quelconque de votre existence. Nous avons découvert l'endroit où il s'était planqué : un petit bungalow à Santa Barbara. Dans ce bungalow, nous avons trouvé un numéro de *Life* contenant votre photographie. Cette photo était entourée d'un trait de crayon. Ce détail et le fait que votre nom et votre adresse se trouvaient dans sa voiture nous font penser que ou bien il vous connaissait ou bien il s'intéressait à vous, et nous voulons savoir pourquoi.

Il s'arrêta de mâcher sa gomme pour me regarder fixement.

— Qu'en pensez-vous, monsieur Halliday?

— Ça m'intrigue autant que ça vous intrigue, inspecteur.

— Vous êtes sûr que vous n'avez jamais vu cet homme? Voulez-vous jeter encore un coup d'œil sur sa photographie?

— C'est inutile. Je ne l'ai jamais vu.

Il se gratta l'oreille et fronça les sourcils.

— Comme je vous le disais l'autre jour, c'est un mystère. Nous n'aimons pas les mystères, monsieur Halliday.

Je gardai le silence.

— Avez-vous jamais entendu parler d'une femme qui s'appelle Rima Marshall?

« Voilà, ça y est », me dis-je. Bien que je me sois attendu à cette question, je sentis mon sang se glacer dans mes veines.

Je regardai Keary bien en face et répondis :

— Non, je ne la connais pas non plus. Qui est-ce?

— La poule de Mandon. Ils vivaient ensemble dans ce bungalow.

Il mâchonna son chewing-gum sans souffler mot, en regardant le plafond d'un air vague.

Après un long silence, je lui dis d'un ton sec :

— Je suis très occupé, inspecteur. Avez-vous quelque chose à ajouter?

Il tourna la tête et fixa son regard sur moi.

— Cette femme a été assassinée.

Mon cœur se mit à battre la chamade, et je sais que je changeai de couleur.

Pourtant, je parvins à répondre :

— Assassinée? Qui a été assassiné?

Les yeux durs et scrutateurs entamèrent mes défenses.

— Rima Marshall. Nous avons montré la photo de Mandon à plusieurs personnes, et, hier au soir, nous sommes tombés sur une bonne femme qui avait fait le ménage dans le bungalow. Vous vous rendez compte : ce fumier de Mandon s'offrait une femme de ménage! Elle l'a reconnu. Elle nous a parlé de cette Rima Marshall et nous a donné l'adresse du bungalow où Mandon s'était planqué. Nous y sommes allés. Mandon avait filé, mais nous avons trouvé la femme...

Il fit tourner sa boule de chewing-gum dans sa bouche.

— Son cadavre n'était pas très beau à voir. On l'avait lardée de coups de couteau. Le médecin légiste nous a dit qu'elle portait trente-trois blessures dont dix auraient pu être mortelles. Sur la table se trouvait ce numéro de *Life* avec votre photographie entourée d'un trait de crayon.

Je restai immobile, mes deux poings crispés cachés sous le bureau. Donc, Wilbur l'avait trouvée, et j'étais responsable de sa mort! Une sueur froide perla à mon front.

— Nous avons sur les bras un cas assez sensationnel, continua Keary. Nous nous demandons à présent si c'est elle qui a laissé dans la voiture ce papier portant votre nom et votre adresse Peut-être vous a-t-elle connu à un moment quelconque de votre existence. Son nom ne vous dit rien?

— Non.

Il prit dans sa poche une enveloppe dont il tira une photographie qu'il posa sur le bureau.

— Peut-être la reconnaîtriez-vous.

Je regardai le cliché et détournai les yeux aussitôt. C'était une image effroyable.

Rima, entièrement nue, gisait sur le plancher dans une mare de sang. Son corps avait été horriblement poignardé, taillad é, mutilé.

— Vous ne la reconnaissez pas? me demanda Keary de sa rude voix de flic.

— Non, je ne la connais pas! Et je ne connais pas Mandon! C'est clair, non? Je ne peux vous être d'aucune utilité! Et maintenant, voulez-vous, je vous prie, sortir d'ici et me laisser continuer mon travail?

Sans se déconcerter le moins du monde, il se carra plus confortablement dans son fauteuil, et me dit:

— Il s'agit d'un meurtre, monsieur Halliday, et vous avez la déveine d'y être mêlé d'une façon ou d'une autre. Etes-vous jamais allé à Santa Barbara?

Je faillis lui répondre : non; mais je me rendis compte juste à temps qu'on avait pu facilement me reconnaître dans la ville, et que, si je niais, je pourrais avoir de sérieux ennuis.

— Oui; et après?

A présent, il était flic des pieds à la tête, penché en avant, le menton agressif.

— Quand ça?

— Il y a deux semaines.

— Pouvez-vous être plus précis?

— J'y suis allé une première fois le 20 mai et une seconde fois le 15 juin.

Il parut légèrement déçu.

— Ouais. Nous avons déjà vérifié. Vous êtes descendu à l'hôtel Shore.

J'attendis la suite, tout heureux de ne pas m'être fait prendre en flagrant délit de mensonge.

— Pouvez-vous m'expliquer, monsieur Halliday, poursuivit-il, pourquoi un homme dans votre situation s'est installé dans une taule aussi minable que l'hôtel Shore?

— Il se trouve que je ne suis pas très exigeant pour mon logement. Je suis decendu au premier hôtel qui s'est présenté.

— Pourquoi êtes-vous allé à Santa Barbara?

— Pourquoi toutes ces questions? En quoi mes déplacements et leur motif vous regardent-ils?

— Il s'agit d'une affaire criminelle, monsieur Halliday. C'est moi qui pose les questions : contentez-vous d'y répondre.

Je haussai les épaules.

— J'avais des tas de calculs à faire. Ici, j'étais continuellement dérangé par le téléphone et les entrepreneurs; c'est pour ça que je suis allé à Santa Barbara. Je pensais que le changement d'air me ferait du bien.

Keary frotta du dos de sa main l'extrémité de son nez charnu.

— Pourquoi vous êtes-vous inscrit sous le nom de Masters?

J'avais ma réponse toute prête. Mon cerveau fonctionnait maintenant un peu plus vite que le sien.

— Quand on a sa photographie dans *Life,* inspecteur, on acquiert une certaine notoriété. Comme je ne voulais pas être dérangé par les journalistes, je me suis inscrit sous le nom de jeune fille de ma mère.

Il fixa sur moi ses yeux verts au regard dur, aussi dépourvus d'expression que des pierres.

— C'est pour la même raison que vous êtes resté enfermé dans votre chambre toute la journée?

— Je travaillais.

— Quand êtes-vous revenu ici?

— Je suis d'abord allé à San Francisco où j'avais des affaires à régler.

Il tira un carnet de sa poche

— Où avez-vous logé?

Je le lui dis.

— J'ai quitté San Francisco le jeudi soir, et suis arrivé ici à minuit. Si vous voulez une confirmation de ce fait, vous pouvez vous adresser à l'employé de gare chargé de ramasser les billets, qui me connaît fort bien, et au chauffeur de taxi Sol White qui m'a ramené chez moi.

Keary griffonna quelques notes sur son carnet, puis il se leva en poussant un grognement.

— Bon, ça va comme ça, monsieur Halliday. Je crois que je n'aurais plus besoin de vous embêter. J'essayais simplement d'établir quelques rapprochements. Après tout, nous savons qui l'a tuée.

Je le regardai avec de grands yeux.

— Vous le savez? Qui est-ce?

— Jinx Mandon. Qui voulez-vous que ce soit à part lui?

— Ç'aurait pu être n'importe qui, non? dis-je en me rendant compte que ma voix s'était brusquement enrouée. Qu'est-ce qui vous fait croire que c'est lui?

— Il a un casier judiciaire assez chargé où figurent plusieurs affaires de coups et blessures. La femme de ménage nous a dit que le couple se disputait tout le temps. Brusquement il décampe et nous la trouvons morte. Qui d'autre l'aurait tuée? Tout ce que nous avons à faire, c'est l'attraper, et le passer un peu à tabac jusqu'à ce qu'il se mette à table. Après quoi nous le collons dans la chambre à gaz. C'est simple comme bonjour.

— Tout ça ne me prouve pas que c'est lui qui a tué.

— Vraiment? répliqua-t-il en haussant les épaules d'un geste indifférent. En ce qui me concerne, je trouve qu'il fait l'affaire, et je suis sûr que le jury sera de mon avis.

Il m'adressa un signe de tête, ouvrit la porte et sortit du bureau.

## II

Ainsi, Rima était morte!

Je n'éprouvais pas le moindre soulagement, mais seulement du remords, car j'étais responsable de sa fin.

Mon passé était mort avec elle. Je n'avais plus qu'à rester tranquille dans mon coin pour être délivré de la menace d'une arrestation.

Mais si la police arrêtait Vasari? Si on l'envoyait à la chambre à gaz pour un meurtre dont il n'était pas l'auteur?

Car je savais qu'il n'avait pas tué Rima. Le meurtrier, c'était Wilbur, et je pouvais le prouver; seulement, pour le prouver, je devrais raconter toute l'histoire à la police, et, dans ce cas, on me mettrait en jugement pour le meurtre du gardien du studio.

Ce cauchemar ne finirait-il donc jamais?

« Tu as sauvé ta mise, pensais-je. Au diable Vasari! C'est un type plusieurs fois condamné pour coups blessures. Pourquoi te sacrifierais-tu pour lui? »

Au cours de la semaine suivante, j'eus l'esprit tellement occupé par mon travail et par mes visites précipitées à la clinique pour voir Sarita que, pendant le jour, j'échappais à la pensée terrifiante que j'étais responsable de la mort de Rima. Mais, la nuit, quand je me retrouvais seul dans le noir, j'étais hanté par l'image de son corps, percé d'effroyables blessures, gisant dans une mare de sang.

Je lisais attentivement les journaux pour y trouver des nouvelles du meurtre. Il avait eu d'abord les honneurs du gros titre à la une, puis, très rapidement, il avait été relégué en dernière page, réduit aux dimensions d'un petit paragraphe : la police recherchait toujours Mandon dans l'espoir qu'il pourrait l'aider à poursuivre l'enquête, mais, jusqu'à présent, on n'en avait pas vu la moindre trace.

A mesure que les jours se succédaient, je commençais à reprendre espoir. Peut-être que Vasari avait quitté le pays. Peut-être qu'on ne le retrouverait jamais.

Je me demandais ce qui était arrivé à Wilbur. A plusieurs reprises, j'eus envie de téléphoner à l'hôtel Anderson, à San Francisco, pour savoir s'il y était revenu, mais je ne cédai pas à la tentation.

L'état de Sarita s'améliorait régulièrement. J'allais à la clinique tous les soirs et passais une heure à lui parler du pont, de ce que j'avais fait dans la journée, de la façon dont je me tirais d'affaire tout seul.

Zimmermann affirmait qu'elle pourrait marcher de nouveau, mais ça prendrait du temps. Il pensait qu'elle pourrait revenir à la maison dans quinze jours. Elle aurait besoin d'une infirmière pour s'occuper d'elle, mais il estimait qu'elle se remettrait beaucoup plus vite chez elle qu'en restant à la clinique.

Il n'était plus question du meurtre sur aucun journal. Je me dis que l'affaire était enterrée. Vasari avait dû quitter le pays. On ne le retrouverait jamais.

Puis, un soir, à mon retour de la clinique, tandis que j'arrêtais ma voiture devant le bloc où se trouvait mon appartement, je vis un grand gaillard appuyé contre le mur, qui avait l'air d'attendre quelqu'un.

Je reconnus aussitôt la silhouette massive de l'inspecteur Keary.

Je sentis un frisson glacé me parcourir l'échine pendant que je le regardais à travers la vitre. Ma bouche se dessécha. En proie à une terreur panique, je dus faire un effort considérable pour ne pas remettre la voiture en marche et filer à toute allure.

Notre dernière rencontre datait de trois semaines; j'avais espéré ne plus jamais le revoir. Pourtant, il était bel et bien là, et, de toute évidence, il m'attendait.

Je pris mon temps pour sortir de la voiture. Lorsque j'arrivai à sa hauteur, j'avais retrouvé mon sang-froid.

— Bonsoir, inspecteur, dis-je. Que faites-vous là?

— Je vous attends, répliqua-t-il d'un ton sec. On m'a dit à votre bureau que vous étiez allé à l'hôpital; alors je suis venu ici.

— Que me voulez-vous? demandai-je d'un ton que j'essayais vainement de garder ferme. Qu'y a-t-il encore?

— Nous parlerons de ça chez vous, monsieur Halliday. Voulez-vous me montrer le chemin?

Suivi par Keary, je gagnai mon appartement.

— J'ai appris que votre femme a été gravement malade, dit-il lorsque nous pénétrâmes dans le living-room. Est-ce qu'elle va mieux à présent?

Je jetai mon imperméable et mon chapeau sur une chaise, puis j'allai me poster devant la cheminée, face à l'inspecteur.

— Oui, elle va beaucoup mieux, je vous remercie.

Il s'assit dans le fauteuil le plus gros et le plus confortable de la pièce. Ensuite, il ôta son chapeau qu'il posa près de lui sur le plancher. Enfin, il commença à décortiquer de son enveloppe de papier son éternelle barre de chewing-gum.

— La dernière fois que je vous ai vu, monsieur Halliday, dit-il, les yeux fixés sur le chewing-gum, vous m'avez affirmé que vous ne connaissiez pas Rima Marshall et que vous n'en aviez jamais entendu parler.

J'enfonçai mes poings fermés dans les poches de mon pantalon. Mon cœur battait si fort que je craignais qu'il entende le bruit de ses pulsations.

— C'est exact, répondis-je.

Ses petits yeux verts me regardèrent fixement.

— J'ai une bonne raison de croire que vous m'avez menti, monsieur Halliday, et que vous connaissiez bel et bien Rima Marshall.

— Qu'est-ce qui vous fait croire ça?

— Une photographie de la morte a été publiée dans les journaux. Un individu nommé Joe Masini, propriétaire de l'hôtel Colloway, nous a fourni, de son plein gré, les renseignements suivants. C'était un ami de la femme Marshall. Il nous a dit qu'elle avait rencontré à son hôtel un homme au visage balafré, à la paupière droite tombante. Elle semblait avoir peur de cet homme, et avait demandé à Masini de l'empêcher de la suivre quand elle quitterait l'hôtel. La description de cet homme au visage balafré s'applique parfaitement à vous, monsieur Halliday.

Je ne répondis rien.

Keary mâchonnait lentement son chewing-gum sans détacher son regard de moi.

— La femme Marshall avait un compte en banque à Santa Barbara, poursuivit-il. Hier, je suis allé le vérifier. Au cours des six dernières semaines, deux versements de dix mille dollars à ce compte ont été effectués. Ces deux versements ont été tirés sur votre compte personnel. Maintenez-vous toujours que vous ne connaissiez pas cette femme?

Je gagnai un fauteuil où je m'assis.

— J'avoue que je la connaissais.

— Pourquoi lui avez-vous donné tout cet argent?

— C'est assez clair, non? Elle me faisait chanter.

— Ouais, je m'en doutais bien. Et pourquoi vous faisait-elle chanter?

— Quelle importance ça peut-il avoir? Je ne l'ai pas tuée, vous le savez.

— Non, vous ne l'avez pas tuée, quoique le chantage soit un excellent motif de meurtre. Vous ne l'avez pas tuée parce que ça vous aurait été impossible. Vous étiez ici même quand elle est morte. J'ai vérifié ce point. Si vous m'aviez dit la vérité dès le début, monsieur Halliday, vous m'auriez épargné beaucoup de travail... Vous êtes allé à Santa Barbara pour rencontrer cette femme?

— J'y suis allé pour essayer de la trouver. Je voulais lui demander un délai pour effectuer mon prochain versement, car j'avais besoin de cet argent pour payer l'opération de ma femme. Je n'ai pas pu la trouver par manque de temps. J'ai fait deux tentatives sans aucun succès.

— Que s'est-il passé? L'avez-vous payée?

— Non, elle est morte avant l'échéance.

— Rudement commode pour vous, hein?

— Ma foi, oui.

— Pourquoi vous faisait-elle chanter?

Je n'allais certes pas lui dire la vérité sur ce point.

— L'histoire habituelle... Je l'ai rencontrée; nous avons couché ensemble; elle a découvert que j'étais marié, et m'a menacé de tout raconter à ma femme.

Il frotta le bout de son nez charnu d'un air ennuyé.

— Elle demandait beaucoup d'argent pour ce genre de chantage, vous ne trouvez pas?

— Elle me possédait jusqu'à l'os. Ma femme était très gravement malade. Le moindre choc l'aurait tuée.

Il arrondit son dos massif et déclara :

— Vous vous rendez compte, monsieur Halliday, que c'est un sérieux délit de mentir au cours d'une enquête criminelle?

— Oui, je m'en rends compte.

— Si vous aviez admis dès le début que vous connaissiez cette femme, vous m'auriez épargné un sacré boulot.

— Une liaison avec une femme pareille n'est pas une chose qu'on avoue facilement.

— Ouais, dit-il en se grattant une joue. C'est bon, monsieur Halliday; cette fois, je crois que ce sera tout. Vous n'avez plus besoin de vous tracasser à ce sujet. Je ne ferai pas de rapport.

Ce fut mon tour de le regarder fixement.

— Vous ne ferez pas de rapport?

— Je suis chargé de cette enquête, poursuivit-il en étendant ses jambes longues et épaisses. Je ne vois pas de raison de causer des embêtements à un type parce qu'il s'est envoyé une fille.

Soudain, son visage charnu se détendit en un sourire désagréable qui me parut empreint d'une certaine sournoiserie.

— Je voulais m'assurer que vous n'aviez rien à voir avec la mort de Rima Marshall : c'est fait. Vous pouvez vous estimer heureux que je quitte le service à la fin du mois. Peut-être que je serais moins indulgent pour vous si je ne m'apprêtais pas à aller me mettre au vert. Vous ne le croiriez sans doute pas à me voir, mais je frise la soixantaine, et c'est l'âge où un homme doit prendre sa retraite.

Quelque chose en lui me déplaisait. Je ne parvenais pas à mettre le doigt dessus, mais il m'inspirait une certaine méfiance. Brusquement, il n'avait plus l'air d'un flic. C'était un homme qui avait terminé sa besogne et se trouvait maintenant dans un vide. Sa présence chez moi m'inspirait un violent dégoût.

— Non, je ne l'aurais pas cru, inspecteur, répondis-je. Eh bien, je vous remercie.

— Dans les affaires de chantage, poursuivit-il en souriant de nouveau, nous gardons la liberté d'agir selon notre jugement. Il y en a des tas, vous savez. Des types font les cons avec des putains et se collent dans un sale pétrin. Vous avez de la veine, monsieur Halliday, que Mandon lui ait fermé la bouche définitivement.

— C'était une professionnelle du chantage, inspecteur. Elle aurait pu être tuée par n'importe laquelle de ses victimes. Y avez-vous pensé?

— C'est Mandon qui l'a tuée. Ça ne fait pas de doute.

Je faillis lui parler de Wilbur, mais je me retins. Si je mettais Wilbur sur le tapis, il faudrait que je raconte l'histoire du cambriolage du studio et du meurtre du gardien, et alors je serais cuit.

— Je vous remercie encore une fois, inspecteur.

Il se leva lourdement.

— Cette affaire est réglée, monsieur Halliday. Vous n'en entendrez plus parler.

Il me regarda en m'adressant toujours ce même sourire sournois.

— Bien sûr, poursuivit-il, si vous êtes si reconnaissant peut-être serait-il dans l'ordre des choses que vous fassiez une petite donation à l'association sportive de la police : c'est une simple idée qui m'est venue, monsieur Halliday, et non pas une suggestion que je vous fais.

A mon tour, je le regardai fixement.

— Mais, bien sûr, dis-je en tirant mon portefeuille. Quelle somme proposeriez-vous, inspecteur?

— Ce qu'il vous plaira, répliqua-t-il, tandis qu'une lueur avide s'allumait dans ses petits yeux. Si nous disions cent dollars?

Je lui donnai vingt billets de cinq dollars.

— Je vous enverrai un reçu, déclara-t-il en les faisant disparaître. Les camarades seront sensibles à votre geste, monsieur Halliday. Je vous remercie infiniment.

Je n'étais pas gourde à ce point.

— Inutile de m'envoyer un reçu, inspecteur. Je n'y tiens pas du tout.

Son sourire s'élargit.

— Comme vous voudrez, monsieur Halliday. De toute façon, je vous remercie.

Je le regardai partir.

J'avais eu de la veine, presque trop de veine.

Mais s'ils mettaient la main sur Vasari?...

# CHAPITRE IX

## I

Le lendemain, au cours de l'après-midi, tandis que je travaillais dans mon bureau, Clara vint m'annoncer que M. Terrell demandait à me voir.

Tout d'abord, le nom ne me dit rien. Puis je me rappelai que cet homme était le propriétaire de la villa tant désirée par Sarita : cela me semblait se perdre dans la nuit des temps.

Je repoussai les papier qui encombraient mon bureau, et dis à Clara de faire entrer mon visiteur.

Terrell était un homme de soixante-trois ans environ, lourdement bâti, au visage jovial : il ressemblait à un évêque débonnaire et bien nourri.

— Monsieur Halliday, dit-il en me serrant la main, j'ai appris que Sarita allait sortir de clinique la semaine prochaine. J'ai à vous faire une offre susceptible de vous intéresser.

Je le priai de s'asseoir.

— De quoi s'agit-il, monsieur Terrell?

— La vente de ma villa n'a pas eu lieu. Mon acheteur a trouvé autre chose plus près de l'endroit où il travaille. Ma femme et moi, nous partons pour Miami à la fin de la semaine. Je sais que votre femme tenait beaucoup à cette villa. Je vous propose de vous la louer telle qu'elle est, à raison de vingt dollars par semaine, jusqu'à ce que Sarita soit complètement rétablie. A ce moment-là, si la maison vous plaît, peut-être envisagerez-vous à nouveau de l'acheter : ce sera à vous de décider. Ma femme et moi nous aimons beaucoup Sarita, et nous sommes persuadés qu'elle serait très heureuse d'aller directement de la clinique à notre villa. Qu'en pensez-vous?

Pendant quelques instants, je ne pus en croire mes oreilles; puis je me levai vivement et lui serrai la main avec vigueur.

— C'est une idée merveilleuse! Je ne saurais jamais vous en remercier assez! Bien sûr, j'accepte votre offre! Mais voici ce que je voudrais faire : je vais vous donner tout de suite un chèque de dix mille dollars; puis, dès que je me serai dépêtré de toutes ces notes de médecins, je vous paierai la différence. Marché conclu!

Et c'est ainsi que l'affaire fut réglée.

Je n'en parlai pas à Sarita. Je voulais voir l'expression de son visage quand l'ambulance s'arrêterait devant la villa de Terrell.

Helen Mathison m'aida à transporter nos affaires personnelles dans notre nouveau logement. Nous avions six jours devant nous avant le départ de Sarita de la clinique. Je travaillais au bureau pendant de longues heures et je passais mes nuits à la villa; pourtant, malgré toutes ces occupations, il m'arrivait parfois de penser à Vasari et de me poser des questions à ce sujet. Chaque matin je parcourais attentivement les journaux pour m'assurer qu'on ne l'avait pas retrouvé; mais la presse semblait s'être désintéressée du meurtre et n'y faisait plus la moindre allusion.

Enfin arriva le jour où Sarita devait quitter la clinique. Je m'accordai congé pour l'après-midi. Helen me conduisit à la clinique en voiture et me déposa à la porte. Je devais rentrer avec Sarita dans l'ambulance.

On la sortit de la clinique sur un brancard. L'infirmière qui devait venir s'installer chez nous l'accompagnait.

Sarita m'adressa un sourire ému tandis qu'on glissait le brancard dans l'ambulance. Je m'assis à côté d'elle, et l'infirmire prit place à côté du chauffeur.

— Eh bien, ça y est! m'exclamai-je en lui prenant la main, au moment où la voiture démarrait. A partir de maintenant, tu vas te porter comme un charme, ma chérie. Tu ne peux pas savoir combien il me tardait de te ramener à la maison.

— Je vais être vite sur pied, Jeff, dit-elle en me serrant la main, et je te rendrai heureux de nouveau... Comme ça semble bon de revoir les gens et les rues! ajouta-t-elle en regardant par la vitre.

Puis, après quelques instants de silence, elle reprit:

— Mais où allons-nous, Jeff? Est-ce que le chauffeur s'est trompé? Ça n'est pas le chemin de la maison.

— Si, ma chérie: c'est le chemin de notre nouvelle maison. Tu ne devines pas?

228

Alors, j'eus ma récompense. Jamais je n'oublierai l'expression de son regard tandis que l'ambulance commençait à gravir la colline de Simeon.

J'oubliais complètement toutes ces journées de tension, de crainte et de tourment lorsqu'elle me dit d'une voix tremblante :

— Oh! Jeff, mon chéri! Je n'arrive pas à y croire!

Les jours qui suivirent furent les plus heureux de mon existence. Comme j'avais beaucoup de paperasses à faire, je n'allai pas au bureau. Je travaillai à la maison, en restant en contact par téléphone avec Ted Weston et Clara.

Nous dressâmes un lit pour Sarita dans le living-room, afin de lui permettre d'être avec moi. Elle lisait ou tricotait pendant que je travaillais, et, très souvent, j'interrompais ma besogne pour faire la conversation avec elle.

Elle reprenait des forces de façon surprenante. Quatre jours après son arrivée à la villa, le docteur Zimmermann, qui était venu la voir, déclara qu'on pouvait la mettre dans un fauteuil roulant.

— Elle a fait des progrès considérables, monsieur Halliday, me dit-il pendant que je le raccompagnais jusqu'à sa voiture. Je pensais bien que son état s'améliorerait quand elle serait chez elle, mais je n'aurais jamais cru que ça irait si vite. Je ne serais pas étonné qu'elle puisse marcher dans quelques mois.

Le lendemain, le fauteuil roulant arriva, et nous y installâmes Sarita.

— A présent, on ne va plus pouvoir me tenir, dit-elle. Il faut fêter ça. Invitons Jack et les Mathison à déjeuner.

Nous fîmes une petite fête.

Il y eut de la dinde et du champagne, et, après déjeuner, quand Sarita eut regagné son lit pour se reposer sur les instances de l'infirmière, Jack et moi nous allâmes nous asseoir sur la terrasse pour y achever notre cigare : elle dominait la rivière, et, dans le lointain, nous pouvions voir les ouvriers qui travaillaient au pont.

229

Nous nous sentions détendus, en pleine euphorie. Après une conversation à bâtons rompus, Jack se leva paresseusement en disant :

— On a fini par arrêter l'assassin de Santa Barbara. Je commençais à croire qu'on ne mettrait jamais la main dessus.

J'eus l'impression de recevoir un coup de poing ganté de fer à la pointe du cœur. L'espace d'un instant, je n'eus même pas la force de parler; puis, je parvins à articuler :

— Qu'est-ce que tu racontes?

Il s'étirait en bâillant, dans la chaude lumière du soleil.

— Tu sais bien, me répondit-il : ce type qui avait tué la bonne femme du bungalow. On l'a coincé dans une boîte de nuit à New York. Il y a eu une bagarre à coups de revolver, et il a été blessé. On dit qu'il ne vivra pas. J'ai entendu ça à la radio dans ma voiture, en allant chez toi.

Je ne sais comment, je gardai un visage impassible. Je ne sais comment, je gardai un ton ferme.

— C'est vrai? dis-je d'une voix qui ne ressemblait pas à la mienne. Ma foi, tant pis pour lui... Eh bien, je vais me remettre au boulot. J'ai été ravi de t'avoir à la maison, Jack.

— Merci du déjeuner... Et permets-moi d'ajouter une chose, Jeff, dit-il en posant sa main sur mon bras : tu ne peux pas savoir combien je suis heureux que Sarita soit tirée d'affaire. C'est une fille épatante, et tu es un rude veinard.

Je le regardai descendre la colline dans sa Thunderbird blanc et noir.

*Un rude veinard!*

Je tremblais de tout mon corps, et j'avais le visage couvert de sueur.

Ainsi, on avait fini par prendre Vasari!

*Il y a eu une bagarre à coups de revolver, et il a été blessé. On dit qu'il ne vivra pas.*

230

Dans ce cas, je serais encore plus veinard... trop veinard.

Il me fallait savoir tous les détails.

J'annonçai à l'infirmière que j'allais en ville. Elle me dit que Sarita dormait, et qu'elle ne s'éloignerait pas.

Je filai à toute allure jusqu'au kiosque à journaux le plus proche. J'en achetai un, mais je n'y trouvai aucune nouvelle de l'arrestation de Vasari. J'aurais pu me douter que je devrais attendre la dernière édition du soir.

Je me rendis au bureau, en proie à une véritable panique.

Vasari allait-il mourir? S'il ne mourait pas, il serait jugé pour un meurtre qu'il n'avait pas commis, j'en étais certain. Je ne pourrais pas le laisser passer par la chambre à gaz.

Je trouvai beaucoup de travail à faire au bureau, mais je n'arrivais pas à concentrer mon attention. Au cours d'un entretien avec un entrepreneur, je me montrai si distrait que je le vis me regarder d'un air intrigué.

— Ma femme vient de sortir de clinique, lui dis-je pour m'excuser. Nous avons fêté son retour à la maison, et je crois que j'ai bu trop de champagne.

Un peu plus tard, Ted Weston revint du chantier. Il portait un journal qu'il laissa tomber sur son bureau. J'étais encore en train de discuter avec l'entrepreneur. La vue du journal me fit perdre pied complètement.

Nous parlions chiffres, et je commençai à faire tant de bourdes que mon visiteur déclara d'un ton sec :

— Dites donc, monsieur Halliday, il vaut mieux remettre ça à plus tard. Ce champagne devait être bougrement fort! Voulez-vous que je revienne demain?

— Bien sûr. Je vous prie de m'excuser, mais j'ai un mal de crâne épouvantable... Oui, c'est ça : revenez demain.

Dès qu'il fut parti, je me penchai et m'emparai du journal.

— Je peux vous emprunter votre canard, Ted?

— Bien sûr, monsieur Halliday, ne vous gênez pas.

En première page se trouvait une photo de Vasari et d'une jolie fille brune qui ne paraissait pas avoir plus de dix-huit ans. Il la tenait par la taille et lui souriait.

Au-dessous, on pouvait lire cette légende : *Jinx Mandon épouse une chanteuse de cabaret le jour de son arrestation.*

Le compte rendu de la capture de Vasari était très succinct.

Pendant qu'il célébrait son mariage avec Pauline Terry, chanteuse de cabaret, au club du *Trou dans le coin*, Vasari avait été reconnu par un inspecteur de police qui se trouvait là par hasard. Lorsqu'il avait vu l'inspecteur s'approcher de la table où il dînait avec sa femme, il avait sorti son revolver de sa poche. L'inspecteur l'avait abattu d'une balle, sans lui laisser le temps de tirer. Grièvement blessé, Vasari avait été transporté d'urgence à l'hôpital, où les médecins faisaient tous ce qu'ils pouvaient pour le sauver.

C'était tout, mais ça suffisait largement. Je fus incapable de fournir le moindre travail. Je dis à Weston que je rentrais chez moi, mais, en réalité, je me rendis au bar le plus proche et avalai deux doubles whiskys.

*Les médecins faisaient tout ce qu'ils pouvaient pour le sauver.*

Quelle ironie tragique! Ils essayaient de le sauver pour qu'il puisse être exécuté! Pourquoi ne le laissaient-ils pas mourir?

Qu'allais-je faire?

S'il survivait, il fallait que j'entre en scène. Je n'avais plus maintenant aucun motif de me dérober. Sarita n'était plus une infirme. Bientôt, elle marcherait de nouveau.

Peut-être ne survivrait-il pas. Pour l'instant, je ne pouvais rien faire qu'attendre. S'il mourait, je serais tiré définitivement de ce pétrin.

Mais s'il survivait...

232

Les six jours suivants furent un véritable cauchemar.

La presse ne tarda pas à exploiter le drame de la lutte des médecins de Vasari contre la mort, et fit paraître un bulletin quotidien. Un jour, on lisait en titre : *Le gangster décline*, et je me détendais un peu. Le lendemain, c'était : *Jinx Mandon toujours vivant. Les médecins sont pleins d'espoir.*

Le sixième jour le titre fut le suivant : *Opération avec 99 % de risques pour sauver la vie du gangster.*

Le journal exposait qu'un des chirurgiens les plus éminents de New York devait tenter une intervention extrêmement aléatoire, dans un dernier effort pour sauver Mandon. Le praticien, interviewé par les journalistes, déclarait que le blessé n'avait qu'une très faible chance d'en réchapper. L'opération était si délicate qu'elle allait attirer l'attention du corps médical dans le monde entier.

Pendant que je lisais cet article, j'entendis Sarita me dire :

— Jeff! Voilà deux fois que je te parle sans obtenir de réponse. Que se passe-t-il?

Je posai mon journal.

— Je te demande pardon, ma chérie. J'étais en train de lire. Qu'est-ce que tu me disais?

J'eus du mal à soutenir son regard étonné.

— Y a-t-il quelque chose qui cloche, Jeff?

Elle était assise dans son fauteuil roulant, en face de moi, à la table du petit déjeuner. Nous étions seuls. Elle se sentait en forme et mourait déjà d'envie d'essayer de marcher.

— Mais non, voyons. Tout va très bien.

Ses calmes yeux marron scrutaient mon visage.

— Tu en es sûr, Jeff? Tu es tellement nerveux ces jours-ci que ça m'inquiète.

— Pardonne-moi, ma chérie. Le pont me préoccupe beaucoup. Il faut que je pense à des tas de choses...

Je me levai en ajoutant ces mots :

— Je suis obligé d'aller au bureau, mon chou. Je serai de retour vers sept heures.

J'avais rendez-vous avec Jack sur le chantier. On devait mettre en place la première poutrelle métallique du pont.

Pendant que nous attendions le début de la manœuvre, Jack me dit :

— Y a-t-il quelque chose qui te tracasse, Jeff? Tu as une sale gueule depuis quelques jours.

— Je crois que je prends notre boulot plus à cœur que toi. Je me tracasse au sujet du pont.

— Il n'y a pourtant pas de quoi. Tout marche comme sur des roulettes.

— Oui, sans doute. Il faut croire que je suis de ces types qui se font de la bile pour rien.

Il s'aperçut que le contremaître dirigeait mal la manœuvre et, poussant un juron à voix basse, il me quitta pour se rendre à l'endroit où les ouvriers étaient au travail.

Je songeai avec un certain malaise que j'allais être obligé de me surveiller. Ma tension nerveuse devenait visible.

Deux jours plus tard, la bombe éclata.

Le journal annonça en gros titre que l'opération de Mandon avait pleinement réussi et qu'il était à présent hors de danger. Dans une semaine, on le transporterait par avion à la prison de Santa Barbara. Dès qu'il aurait repris des forces, il serait jugé pour l'assassinat de Rima Marshall.

Je lus ce compte rendu dans le journal du soir qui était arrivé chez moi par la poste.

Je me sentis physiquement malade.

Cette fois, ça y était! Vasari avait survécu et, maintenant, si je ne disais pas la vérité, il allait être jugé et exécuté.

Je regardai Sarita en train de lire en face de moi. J'éprouvai une violente tentation de tout lui avouer, mais mon instinct m'avertit de n'en rien faire.

Je n'avais pas le droit d'attendre plus longtemps. Il me fallait partir pour Santa Barbara dès le lendemain, et raconter mon histoire à Keary qui se lancerait aussitôt sur la piste de Wilbur.

— Ma chérie, dis-je de mon ton le plus désinvolte, j'avais oublié de te dire que je dois partir demain pour San Francisco. Je resterai absent deux jours. C'est à propos de la fourniture de notre acier.

Elle leva les yeux d'un air surpris.

— Demain? Je comprends très bien, Jeff, mais ça me semble un peu soudain.

— Les livraisons ne se font pas assez vite. Jack veut que j'y aille. Ça vient de me revenir en tête...

Quand elle fut couchée, j'appelai Jack à son appartement.

— Il faut que je parle à Stowell. Je file demain à San Francisco. L'acier n'arrive pas assez vite.

— Tu trouves? dit-il d'un ton surpris. Moi, je pensais qu'ils ne se débrouillaient pas mal. Ils me l'envoient aussi vite que je peux l'utiliser.

— De toute façon, il faut que je parle à Stowell. Ted peut s'occuper du bureau en mon absence.

— Bon, d'accord, fit-il. (Et sa voix révéla son étonnement.) Fais comme tu voudras. Il n'y a pas de presse au bureau maintenant.

Cette nuit-là, couché dans mon lit, je me demandai ce qu'allait faire Keary quand il aurait entendu mon histoire? M'arrêterait-il ou commencerait-il par vérifier les faits? Devais-je dire à Sarita, avant mon départ, le lendemain matin, qu'elle ne me reverrait peut-être pas? Devais-je lui avouer la vérité?

Quel choc ce serait pour elle, si j'étais arrêté sans avoir pu la revoir! Je savais que je devais lui avouer la vérité, mais je ne pus m'y résoudre.

Toute la nuit, étendu dans le noir, je tournai et

retournai ce problème dans ma tête. Quand la clarté de l'aube entra par la fenêtre ouverte, je n'avais pas encore pris de décision; mais, finalement, tandis que je m'habillais, je résolus d'aller voir d'abord l'inspecteur Keary.

Peu après quatre heures de l'après-midi, j'entrai dans le commissariat de police de Santa Barbara.

Assis à un bureau, un gros sergent bien nourri mâchonnait le bout de son porte-plume. Il me jeta un coup d'œil indifférent, et me demanda ce que je voulais.

— L'inspecteur Keary, s'il vous plaît.

Il retira le porte-plume de sa bouche, le regarda d'un air soupçonneux, puis le posa sur son bureau :

— Qui dois-je annoncer?

— Jefferson Halliday. Il me connaît.

Sa grosse main resta en suspens au-dessus du téléphone. Ensuite, comme s'il jugeait que ça ne valait pas la peine de se donner tant de mal, il haussa les épaules et me montra le couloir d'un geste de la main.

— Troisième porte à gauche. Débrouillez-vous tout seul.

Je suivis le couloir et frappai à la troisième porte à gauche.

— Entrez, aboya Keary.

Je m'exécutai.

Assis nonchalamment dans son fauteuil de bureau, Keary lisait un journal. La pièce était exiguë. Il y avait juste assez de place pour le bureau, le fauteuil et une chaise. Avec moi en plus, ça manquait d'espace vital.

Il posa son journal et se renversa en arrière dans son fauteuil dont le dossier grinça. Il écarquilla ses petits yeux en me voyant.

— Tiens, tiens, c'est monsieur Halliday. Quelle bonne surprise! Asseyez-vous donc. Soyez le bienvenu à Santa Barbara.

Je m'assis en face de lui.

— Vous avez de la veine de me trouver là, poursuivit-il en tirant de sa poche l'inévitable paquet de chewing-gum. C'est mon dernier jour de travail, et je suis heureux de pouvoir le dire. Voilà trente ans que je suis dans la police; j'estime avoir gagné le droit de me reposer. Bien sûr, ça ne va pas être très drôle. On ne peut pas faire grand-chose avec la retraite miteuse qu'on touche. J'ai une femme et une petite maison au bord de la mer : il faudra que je m'en contente... Et ce pont, ça avance?

— Ça marche très bien.

— Et votre femme?

— Elle est en très bonne forme.

Il commença à mastiquer son chewing-gum et dit :

— Voilà de bonnes nouvelles.

Puis il se renversa de nouveau contre le dossier du fauteuil, pour m'examiner de ses petits yeux durs d'un air pensif.

— Vous êtes venu me voir pour une raison précise, monsieur Halliday?

— Oui. Je suis venu vous dire que Mandon n'a pas tué Rima Marshall.

Les petits yeux s'élargirent légèrement.

— Qu'est-ce qui vous fait croire ça, monsieur Halliday?

— Elle a été tuée par un type qui se fait appeler Wilbur. C'est un drogué et il est en liberté sur parole.

Il frotta le bout de son nez charnu du dos de sa main.

— Qu'est-ce qui vous fait croire qu'il l'a tuée?

Je respirai profondément.

— Je sais que c'est lui. C'est à cause d'elle qu'il a été condamné à vingt ans de prison. Quand il a été libéré sur parole, il s'est mis à sa recherche. Il voulait la tuer, mais il n'a pas pu la trouver. Je lui ai appris où elle était. Il s'est rendu au bungalow, l'a trouvée et l'a tuée. J'avais déjà averti Vasari par téléphone que la police se préparait à l'arrêter. Quand Wilbur est arrivé, Vasari avait déjà filé.

Keary prit un crayon avec lequel il se mit à frapper sur son bureau. Son visage dur et charnu était vide de toute expression.

— Très intéressant, monsieur Halliday, mais je ne comprends pas très bien. Comment avez-vous connu ce Wilbur?

— C'est une longue histoire. Peut-être vaudrait-il mieux que je commence par le début.

Il me regarda fixement.

— Bon, d'accord. J'ai tout mon temps. Racontez votre histoire.

— C'est une déposition qui va m'incriminer, inspecteur. Si vous la faisiez prendre en sténo, ça économiserait du temps.

Il se frotta la mâchoire en fronçant les sourcils.

— Vous êtes bien sûr que vous voulez faire une déposition, monsieur Halliday?

— Oui.

— Bon, ça va.

Il ouvrit un tiroir et en sortit un petit magnétophone qu'il plaça qur le bureau. Il brancha le micro qu'il tourna vers moi. Puis il pressa le bouton et les bobines commencèrent à tourner.

— Allez-y, monsieur Halliday; faites votre déposition.

Je parlai en m'adressant au petit microphone, et je racontai tout sans rien omettre. Je déclarai que j'avais rencontré Rima à qui j'avais sauvé la vie quand Wilbur s'était jeté sur elle; qu'elle l'avait fait condamner à vingt ans de prison; que j'avais découvert son talent de chanteuse, que j'avais eu l'ambition de devenir son agent, que j'avais essayé de la faire soigner, et que nous avions pénétré dans les studios Pacific pour voler l'argent nécessaire à sa cure.

Keary, assis dans son fauteuil, respirant bruyamment, écoutait avec attention; il tenait les yeux fixés sur le bureau poussiéreux et portait son regard de temps à autre sur les bobines en train de tourner avec lenteur.

Il me dévisagea l'espace d'un instant quand j'en arrivai au meurtre du gardien, puis, il baissa de nouveau les paupières, mâchonnant son chewing-gum avec application.

J'expliquai au microphone comment j'étais rentré au pays pour reprendre mes études, et comment je m'étais associé avec Jack. Je racontai l'histoire du pont et de ma photographie dans *Life*; mon entrevue avec Rima venue à Holland City tout exprès pour me faire chanter; l'accident de Sarita et les frais qu'il avait entraînés.

— J'ai donc décidé de supprimer cette femme, dis-je en conclusion. Mais, quand je l'ai eu retrouvée, je n'ai pas pu m'y résoudre. Je me suis introduit dans le bungalow où j'ai découvert le pistolet qui a servi à tuer le gardien du studio. Le voici.

Je tirai l'arme de ma poche et la plaçai sur le bureau. Keary se pencha en avant pour l'examiner; puis il poussa un grognement et, de nouveau, se renversa sur le dossier de son fauteuil.

— Pendant que je cherchais le pistolet, j'ai découvert une boîte pleine de lettres. Une de ces lettres portait la signature d'une femme du nom de Clare Sims.

— Ouais, je suis au courant. Moi aussi j'ai trouvé cette lettre et je l'ai lue.

Tout mon corps se raidit, et je le regardai fixement.

— Mais alors, pourquoi n'avez-vous pas fait rechercher Wilbur?

— Continuez votre déposition, monsieur Halliday. Après avoir lu cette lettre, qu'avez-vous fait?

— Je suis allé à San Francisco où j'ai trouvé Wilbur. Je lui ai envoyé un billet portant l'adresse de Rima, ainsi que trente dollars pour payer son voyage. J'ai vérifié. Il a quitté San Francisco le jour où Rima est morte. Il s'est rendu au bungalow où il l'a tuée.

Keary avança son gros index et arrêta le magnétophone. Puis il ouvrit un tiroir de son bureau, d'où il sortit un volumineux dossier dont il se mit à feuilleter le contenu. Il y trouva enfin une feuille de papier et une enveloppe qu'il poussa vers moi.

— C'est le billet que vous lui avez envoyé?

Mon cœur s'arrêta l'espace d'une seconde quand je reconnus les lettres que j'avais tracées. Je levai les yeux vers Keary.

— Oui. Comment avez-vous mis la main dessus?

— On l'a trouvé à l'hôtel Anderson, à San Francisco. Wilbur ne l'a jamais reçu.

Le sang afflua à mon visage.

— Il ne l'a jamais reçu? Mais bien sûr que si! Et il a agi en conséquence! Que me racontez-vous là?

— Il ne l'a jamais reçu. Cette lettre est arrivée le 17 au matin. Wilbur a été arrêté alors qu'il rentrait à son hôtel, dans la nuit du 16. On l'a arrêté pour trafic de stupéfiants, et on l'a renvoyé en prison pour achever de purger sa peine. Il y est encore à l'heure actuelle.

Ayant repris son crayon, il se remit à taper sur le bureau.

— Après avoir trouvé la lettre de Clare Sims, avertissant la femme Marshall que Wilbur la cherchait, j'ai téléphoné à San Francisco. On m'a dit que Wilbur venait d'être arrêté. Le lendemain, la direction de l'hôtel a remis votre lettre à la police qui nous l'a fait parvenir. Nous n'en avons tenu aucun compte, étant donné que non seulement Wilbur n'aurait pas pu la tuer mais que, par-dessus le marché, il n'a jamais reçu votre message.

Je restai à le regarder fixement, n'arrivant pas à le croire.

— Mais alors, s'il ne l'a pas tuée, qui a fait le coup? demandai-je d'une voix rauque.

Il prit un air ennuyé.

— Vous êtes difficile à convaincre, non? Je vous ai déjà dit le nom de l'assassin : Jinx Mandon. Je vous ai dit que nous avions assez de preuves contre lui pour le faire passer par la chambre à gaz, et il n'y coupera pas. Il n'était pas régulier avec Rima Marshall. Il avait rencontré cette chanteuse, Pauline Terry, qui se trouvait

240

alors à Santa Barbara, et il en était tombé amoureux. Rima, ayant découvert le pot aux roses, l'avait menacé de le dénoncer à la police s'il ne laissait pas tomber cette fille. Il s'apprêtait à filer quand vous avez téléphoné. Ça lui a fourni une bonne excuse pour quitter Rima, mais elle n'était pas d'accord. Elle lui a sauté dessus, un couteau à la main. Ils se sont bagarrés. Il est devenu fou furieux et l'a tuée. Voilà ce qu'il nous a raconté. Nous avons le couteau, nous avons ses vêtements tachés de sang, et nous avons ses aveux.

Je continuais à garder les yeux fixés sur lui, trop bouleversé pour souffler mot. Je m'étais mis entre ses mains pour rien!

Il y eut un long silence pendant lequel Keary continua à taper sur son bureau avec son crayon; puis il reprit :

— On dirait que vous vous êtes collé dans un sale pétrin en faisant cette déposition, non?

— Ça m'en a tout l'air. J'étais sûr que Wilbur l'avait tuée, et je me tenais pour responsable. Je ne pouvais pas laisser condamner Mandon à sa place.

Keary appuya sur le bouton du magnétophone.

— Ouais? Pourquoi vous faire tant de bile à propos d'un salaud pareil?

— C'est le sentiment que j'éprouve devant une situation de ce genre, répondis-je avec calme.

— Eh bien, vous échapperez à une accusation de meurtre au premier degré, mais on vous collera au moins quinze ans de taule. Qu'en pense votre femme? A-t-elle jugé que vous aviez une bonne idée de venir me trouver ici et d'en prendre pour quinze ans?

— Elle ne sait rien.

— Ça va lui faire un sacré coup quand elle le saura, non?

Je m'agitai impatiemment sur mon siège. Sa gaieté sadique m'irritait.

— Je ne vois pas en quoi ça vous concerne.

Il se pencha en avant, prit le revolver, l'examina, puis le reposa sur le bureau.

— Comment va-t-on faire pour achever le pont quand vous serez sous les verrous?

— On trouvera quelqu'un. Il y a toujours quelqu'un pour prendre la suite du boulot d'un autre.

— Ouais, fit-il en bougeant son corps massif sur son fauteuil. Un autre type va me remplacer ce soir. Avant que je sois rentré chez moi, tous les gars d'ici auront oublié mon existence. Que va devenir votre femme sans vous?

— Qu'est-ce que ça peut vous fiche? J'ai fait ce que j'ai fait, et je suis prêt à payer. Allons-y jusqu'au bout.

Il referma le dossier placé devant lui et le remit dans le tiroir. Puis il regarda sa montre-bracelet et se leva.

— Attendez-moi là cinq minutes, monsieur Halliday.

Il prit le revolver et la bande, passa devant moi, gagna la porte, et sortit en refermant le battant derrière lui.

Je restai sans bouger sur mon siège.

Quinze ans!

Je songeai à Sarita. Je me reprochai de ne pas lui avoir dit la vérité. Ce fut la plus longue, la plus morne demi-heure que j'aie jamais connue.

La pendule accrochée au mur marquait cinq heures et demie lorsque la porte s'ouvrit et Keary entra. Il fumait un cigare et arborait un large sourire.

— Alors, vous en avez bavé suffisamment, monsieur Halliday? Vous vous êtes imaginé derrière des barreaux, hein?

Je ne répondis pas.

— Je viens de faire mes adieux aux gars. A cinq heures précises, j'ai rendu mon insigne. A présent, je suis officiellement en retraite. Votre affaire va être remise entre les mains de l'inspecteur Karnow: la plus sale vache de la police de Santa Barbara.

Il sortit la bande magnétique de sa poche et poursuivit:

242

— Quand il entendra ça, il fera des bonds de joie. Mais, ajouta-t-il en scrutant mon visage de ses petits yeux durs, vous et moi nous pourrions nous arranger pour qu'il ne l'entende pas.

Je me raidis et le regardai avec de grands yeux.

— Que voulez-vous dire?

Son sourire sournois s'élargit :

— Nous pourrions conclure un marché, monsieur Halliday. Après tout, qu'est-ce qui vaut mieux que le fric? Je pourrais vous vendre cette bande si vous aviez envie de l'acheter. Alors, vous seriez tiré d'affaire. Vous pourriez revenir à votre femme et à votre pont, sans plus vous inquiéter de rien.

*Qu'est-ce qui vaut mieux que le fric?*

Il avait employé exactement les mêmes termes que Rima. Ainsi, tout allait recommencer. J'éprouvai brusquement une violente envie de me pencher par-dessus le bureau et de lui flanquer un coup de poing en pleine figure, mais je n'en fis rien.

Je me contentai de demander :

— Combien?

— Elle allait vous faire cracher trente mille dollars, n'est-ce pas? Moi, je marche pour vingt mille.

Je le regardai bien en face.

— Et après ça, combien?

— Je vous dis que je marche pour vingt mille. Contre cette somme, je vous rends le revolver et la bande. C'est honnête, non?

— Assez honnête jusqu'à ce que vous ayez dépensé l'argent. A ce moment-là, vous vous souviendrez de moi, et vous viendrez me raconter une histoire de déveine : le coup est classique.

— C'est un risque à courir, mon pote; mais vous avez le choix : vous pouvez tirer vos quinze ans.

Après un instant de réflexion, je haussai les épaules.

— D'accord. Marché conclu.

— Voilà ce que j'appelle un type intelligent! Je veux la somme en espèces. Dès que je l'aurai, je vous remettrai la bande et le revolver. Combien de temps vous faudra-t-il pour vous procurer l'argent?

— Ce sera fait après-demain. Il va falloir que je vende des obligations. Venez à mon bureau jeudi matin, et je vous donnerai les vingt mille dollars.

Il fit un signe de tête négatif en m'adressant un clin d'œil.

— Non, pas à votre bureau, mon pote. Je vous téléphonerai jeudi matin pour vous fixer un lieu de rendez-vous.

— C'est bon.

Je me levai et sortis du bureau sans lui accorder un seul coup d'œil. J'eus à peine le temps de prendre le train de six heures à destination de Holland City. Assis dans mon compartiment, je regardai par la fenêtre en réfléchissant à ma situation. Il m'avait été impossible de repousser le marché offert par Rima, parce qu'elle n'avait eu rien à perdre. Elle avait été tellement avide d'argent qu'elle serait allée en prison avec moi si je ne l'avais pas payée. Mais le cas de l'inspecteur Keary était très différent : lui avait tout à perdre. Il me faudrait agir avec prudence, mais j'étais certain de pouvoir me montrer plus malin que lui. En tout cas, je ne lui donnerais sûrement pas un sou. Je préférais purger quinze ans de prison que d'être victime, pour le reste de mes jours, d'un chantage exercé par ce gros filou de flic.

Le jeudi matin, j'avertis Clara que j'attendais un coup de téléphone de l'inspecteur Keary.

— Je ne veux pas que vous me le passiez. Vous lui direz que je suis sorti et que vous ne savez pas à quelle heure je reviendrai. Vous lui demanderez de vous laisser un message.

Peu après onze heures, Clara entra pour me dire que Keary avait téléphoné.

— Il vous attendra à une heure à Tavener's Arms.

Tavener's Arms était un hôtel routier à quelques milles de Holland City. Je m'y rendis en voiture peu de temps avant une heure. J'entrai dans le bar, portant une serviette volumineuse à la main.

Keary était assis dans un coin devant un double scotch. Il n'y avait que deux autres clients dans la salle, et ils étaient loin de lui.

Tandis que je gagnais sa table, je vis qu'il fixait ma serviette du regard.

— Bonjour, mon pote, fit-il. Asseyez-vous. Que voulez-vous prendre?

— Rien, dis-je en m'installant sur la banquette à côté de lui et en plaçant la serviette entre nous deux.

— Je vois que vous avez apporté l'argent.

— Non, vous vous trompez.

Il cessa de sourire, et son regard devint aussi dur que du marbre.

— Qu'est-ce que ça veut dire? demanda-t-il d'un ton hargneux. Vous voulez donc aller en taule, espèce de fumier?

— Je n'ai vendu mes obligations que ce matin. Je n'ai pas eu le temps de toucher l'argent. Si vous voulez m'accompagner maintenant, j'irai le chercher. On comptera la somme devant vous, et puis vous pourrez l'empocher.

Son visage devint violet.

— Qu'est-ce que c'est que toutes ces salades? dit-il en se penchant en avant pour me foudroyer du regard. Est-ce que vous vous foutez de ma gueule? Essayez un peu de faire le mariole avec moi, et vous vous retrouverez en cabane si vite que vous n'aurez même pas le temps de dire à votre femme où vous êtes allé!

— C'est toute une affaire de compter vingt mille dollars, inspecteur, répliquai-je d'une voix douce. Je croyais que vous auriez préféré que ce soit fait par un professionnel; mais si vous préférez le faire vous-même, je vais aller à la banque, y prendre l'argent et vous l'apporter ici. Je ne me fous pas de vous le moins du monde.

Il me lança un coup d'œil soupçonneux.

245

— Je ne suis pas assez idiot pour vous accompagner à la banque. Faites-vous remettre la somme en billets de vingt dollars. Je les compterai moi-même. Allez-y tout de suite.

— Et qu'est-ce que vous me donnez en échange?

— Le revolver et la bande, conformément à notre accord.

— Vous me donnerez la bande que j'ai enregistrée dans votre bureau quand j'ai avoué avoir été complice du meurtre du gardien des studios Pacific?

— Pourquoi tout ce baratin? Vous savez bien que c'est ça que je vous remettrai.

— Et si je vous demandais l'engagement formel de ne plus me faire chanter?

Je crus qu'il allait me frapper.

— Je vous défends de m'accuser de chantage, espèce de salaud! grommela-t-il. Vous avez de la veine de vous en tirer à si bon compte. J'aurais pu vous demander trente mille dollars. Vingt mille, c'est bon marché, pour éviter quinze ans de taule!

— Je serai de retour dans une heure.

Je pris ma serviette et sortis. Puis je montai dans ma voiture et regagnai Holland City.

Quand j'arrivai au bureau, Clara était en train de déjeuner et Ted Weston s'apprêtait à partir.

— Vous venez avec moi, monsieur Halliday? me demanda-t-il (car nous déjeunions ensemble d'habitude).

— Non, j'ai déjà mangé. J'ai un petit travail à faire, puis je ressors. Vous pouvez disposer.

Quand il fut parti, j'ouvris ma serviette d'où je retirai deux boîtes à cigares vides et quelques journaux roulés. Je jetai le tout dans la corbeille à papier, puis je rangeai la serviette.

J'allumai une cigarette et fus légèrement surpris de constater que mes mains ne tremblaient pas. Je m'assis.

Je songeai à Keary en train d'attendre à Tavener's Arms.

« Tant pis pour toi, me disais-je. Tu m'as fait passer

une sale demi-heure avant d'essayer de me faire chanter; à présent, c'est mon tour. » J'étais à peu près sûr de l'avoir mis dans l'état où je voulais qu'il soit. Ça allait être une vraie partie de poker. Nous avions tout à perdre, l'un et l'autre; mais, moi, je m'étais habitué à cette idée, et lui, non.

A une heure et demie, je quittai le bureau et regagnai Tavener's Arms.

Keary était toujours assis à la même place. Son visage charnu brillait de sueur; ses petits yeux exprimaient une fureur méchante. J'éprouvai une grande satisfaction à constater qu'il en avait bavé autant qu'il m'en avait fait baver dans son bureau minuscule.

Quand il me vit entrer les mains vides, il s'empourpra de colère.

Il y avait une douzaine de clients dans le bar, mais aucun d'eux n'était assis près de sa table.

Il me regarda traverser la salle, les yeux étincelants, ses lèvres minces agitées de mouvements convulsifs.

Je tirai une chaise vers moi et m'assis.

— Où est l'argent? me demanda-t-il d'une voix basse et rauque.

— J'ai changé d'avis. Je ne vous donnerai pas un rond. Allez-y : arrêtez-moi.

Son visage tourna au violet. Ses grosses mains rougeaudes devinrent deux poings menaçants.

— C'est bon, espèce de cloche! s'exclama-t-il. Tu sauras ce que ça va te coûter! Je vais te faire foutre en cabane pour quinze ans!

— C'est exactement le temps que vous aurez à tirer, répliquai-je en le regardant dans les yeux. Le tarif est le même pour le chantage et la complicité de meurtre.

— Ouais? Qui tu essaies de faire marcher? C'est ta parole contre la mienne, et je sais bien lequel des deux on croira! Tu ne me blufferas pas, pauvre connard! Ou tu casques, ou tu vas en taule!

— Je me demandais pourquoi, après trente-cinq ans de service, vous n'aviez pas dépassé le grade d'inspecteur. Maintenant, je le sais. Vous n'êtes qu'un gros lourd sans cervelle; le dernier homme au monde qui devrait essayer de faire chanter quelqu'un. Et je vais vous expliquer pourquoi. J'ai fait ma déposition juste avant que vous preniez votre retraite. Le sergent de service confirmera que je suis arrivé à votre bureau à quatre heures et quart. J'en suis reparti avant vous. Dans l'intervalle, qu'est-ce que j'aurais pu faire, sinon une déposition? Pourquoi ne m'avez-vous pas arrêté? Pourquoi n'avez-vous pas remis ma déposition entre les mains de votre successeur? Que faites-vous à Holland City, en train de parler avec moi? Le barman témoignera que nous nous sommes rencontrés ici et que nous avons eu deux conversations. Classez un peu tout ça et ajoutez un petit détail, puis reclassez le tout. Le détail est le suivant. Vous n'êtes plus le seul à posséder une bande enregistrée. Vous vous rappelez la serviette que j'avais apportée? Vous vous rappelez que je l'ai mise entre nous pendant que nous parlions? Vous vous rappelez ce que nous avons dit? Cette serviette renfermait un magnétophone portatif. J'ai une très bonne bande de notre conversation. Après vous avoir quitté, j'ai déposé le magnétophone et la bande à ma banque, en demandant qu'on en prenne grand soin. Quand on aura fait entendre cette bande devant le tribunal, inspecteur, vous viendrez me rejoindre en prison. Vous perdrez votre retraite et vous serez condamné à quinze ans de taule. Vous vous êtes trompé en essayant de me faire chanter, parce que vous aviez tout à perdre. Rima Marshall, elle, n'avait rien à perdre : c'est pour ça qu'elle a réussi à me posséder; mais un maître chanteur, s'il veut réussir, ne peut pas s'offrir le luxe d'être vulnérable, et vous l'êtes.

La sueur perlait à son visage tandis qu'il grommelait :

— Vous mentez! Il n'y avait pas de magnétophone dans cette serviette! Vous ne réussirez pas à me bluffer!

— Peut-être avez-vous raison, mais vous ne pouvez pas le prouver, dis-je en me levant. Allez-y, faites-moi arrêter : vous verrez bien ce qui arrivera. Perdez votre retraite et écopez quinze ans de taule. Que voulez-vous que ça me fasse? Ça ne regarde que vous. Si vous croyez que je bluffe, mettez-moi au défi de tenir mon bluff. Si je suis arrêté, je parie que vous serez arrêté le lendemain ou le surlendemain. J'ai donné pouvoir à ma banque de remettre la bande au district attorney de Los Angeles, ainsi qu'une déclaration écrite par moi qui relate toute votre tentative de chantage. Je vous défie de tenir votre bluff, pauvre escroc à la manque! De votre côté, mettez-moi au défi de tenir le mien!

Je sortis du bar et regagnai ma voiture.

Le soleil brillait clair dans un ciel sans nuages.

Je repartis à toute allure vers Holland City, vers Sarita et le pont.

# DU MÊME AUTEUR

*Aux Éditions Gallimard*

*Impression Bussière à Saint-Amand (Cher),*
*le 14 décembre 1983.*
*Dépôt légal : décembre 1983.*
*1er dépôt légal dans la collection : février 1972.*
*Numéro d'imprimeur : 2773.*

ISBN 2-07-043025-1./Imprimé en France.